Nei Lopes

Dados Internacionais de Catalogação na Publicação (CIP)
(Câmara Brasileira do Livro, SP, Brasil)

Faustino, Oswaldo
  Nei Lopes / Oswaldo Faustino. -- São Paulo : Selo Negro, 2009.
-- (Retratos do Brasil negro)

  Bibliografia.
  ISBN 978-85-87478-37-5

  1. Lopes, Nei 2. Músicos brasileiros – Biografia I. Título.
II. Série

09-05913   CDD-780.920981

Índice para catálogo sistemático:
1. Músicos brasileiros : Biografia   780.920981

Compre em lugar de fotocopiar.
Cada real que você dá por um livro recompensa seus autores
e os convida a produzir mais sobre o tema;
incentiva seus editores a encomendar, traduzir e publicar
outras obras sobre o assunto;
e paga aos livreiros por estocar e levar até você livros
para a sua informação e o seu entretenimento.
Cada real que você dá pela fotocópia não autorizada de um livro
financia um crime
e ajuda a matar a produção intelectual de seu país.

RETRATOS DO BRASIL NEGRO

Nei Lopes

Oswaldo Faustino

NEI LOPES
Copyright © 2009 by Oswaldo Faustino
Direitos desta edição reservados para Summus Editorial

Editora executiva: **Soraia Bini Cury**
Editoras assistentes: **Andressa Bezerra e Bibiana Leme**
Coordenadora da coleção: **Vera Lúcia Benedito**
Capa, projeto gráfico e diagramação: **Gabrielly Silva/Origem Design**
Foto da capa: **Márcia Moreira**

Selo Negro Edições
Departamento editorial:
Rua Itapicuru, 613 – 7º andar
05006-000 – São Paulo – SP
Fone: (11) 3872-3322
Fax: (11) 3872-7476
http://www.selonegro.com.br
e-mail: selonegro@selonegro.com.br

Atendimento ao consumidor:
Summus Editorial
Fone: (11) 3865-9890

Vendas por atacado:
Fone: (11) 3873-8638
Fax: (11) 3873-7085
e-mail: vendas@summus.com.br

Impresso no Brasil

À memória de Dito e Dada, meus pais, que, com as mesmas dificuldades dos pais de Nei, construíram minha base humana e profissional.

À minha irmã, Bel, que me vale tanto quanto os doze irmãos do biografado.

À minha mulher, Ana Maria, pelo companheirismo e pela revisão deste livro, trabalho de lapidação.

Aos meus filhos, Kenya, Jomo, Monifa, Damiso e Akil, pela compreensão.

E ao meu neto, Nassor, que um dia cantará os sambas de Nei Lopes e lerá, com muito orgulho, suas obras.

Agradecimentos

Minha gratidão à paciência e atenção sem limites do próprio biografado, Nei Lopes, e a sua simpática mulher, Sonia Regina; ao produtor Ruy Quaresma e ao promotor de eventos Carmo Lima, que de alguma forma me possibilitaram as entrevistas, no Rio e em São Paulo; a todos os amigos e amigas que, dia após dia, entenderam minha empolgação pelas novas descobertas a respeito do grande poeta e escritor e me estimularam a continuar nesse incessante garimpo.

Sumário

INTRODUÇÃO – A ERA DO RÁDIO 11
Um breve flashback • 15
Em torno do pai, algum mistério • 16
A honra na contradança • 19

1. "AO POVO EM FORMA DE ARTE" 25
Agitar também é cultura • 34

2. UM CHAMADO, UMA CONFIRMAÇÃO 39

3. DOS VERSOS ÀS CANÇÕES PARA VENDER 43
Samba *versus* indústria cultural • 46

4. NA DOR EXTREMA, A REVIRAVOLTA 55
Do samba à literatura • 60

5. O NEI DA VILA DE NOEL 69
Política, terno e gravata • 74
Parcerias e influências • 77

6. DO CANDOMBLÉ À *SANTERÍA* 87

7. RACISMO E ACADEMISMO 93
O incômodo autodidatismo • 95
Criações em três vertentes • 98

8. "MORO NA ROÇA, IAIÁ..." 107

CONCLUSÃO – "... A ÚNICA COISA QUE EU
POSSO TE DAR" 115

BIBLIOGRAFIA 119

Introdução – A era do rádio

As manchetes dos jornais do Rio de Janeiro (que, na época, era a capital federal), no sábado, 9 de maio de 1942 – dia em que nasceu o cantor, compositor, pesquisador e escritor Nei Lopes –, ainda repercutiam o afundamento do navio mercante brasileiro *Parnahyba,* torpedeado oito dias antes, próximo à ilha venezuelana de Trinidad.

Aquele foi um ano conturbado no cenário nacional e internacional. Nas rodas de bate-papo, pelas praças e botequins do Rio de Janeiro, os temas mais comuns eram a condenação da decisão do presidente Getulio Vargas de manter a neutralidade diante da guerra e a Batalha do Mar de Coral, no oceano Pacífico, a primeira em que porta-aviões norte-americanos e australianos enfrentaram os japoneses, na nascente Segunda Guerra Mundial.

Apesar de os conflitos terem começado em 1939, com a Alemanha enfrentando a coalizão franco-britânica, aquela poderia ser considerada apenas uma guerra europeia, que só se tornou mundial no final de 1941, quando os alemães invadiram a União Soviética e o Japão bombardeou a base militar norte-americana do Pacífico, em Pearl Harbor (Havaí).

Foi a gota-d'água. Os Estados Unidos e seus aliados declararam guerra ao Japão, que recebeu apoio da Alemanha e da Itália. A mídia, porém, tratava do assunto com o mais puro maniqueísmo: era o Bem contra o Mal.

Por isso, naquele 9 de maio, o rádio apregoava aos quatro ventos: "Tragédia! O porta-aviões norte-americano USS Lexingon foi afundado, levando para as profundezas do mar a tripulação de 216 jovens marinheiros americanos"... "Vingança! O porta-aviões japonês Shoho também foi posto a pique. Não se sabe o número de mortos..." "Vantagem! Dois outros porta-aviões nipônicos, o Shokaku e o Zuikaku, também foram danificados..." "Um viva aos aliados!"

Em tempos de guerras e ditaduras, heróis, vilões e mártires se multiplicam: o piloto William Bartling, do Grupo de Voluntários Americanos (AVG) – os populares "Tigres Voadores" –, a bordo do Ki-46 Dinah, bombardeou e derrubou um caça japonês; em Portugal, a polícia política de Salazar, a Pide, trocou tiros com populares que exploravam minério em Alvarenga sem autorização, e um jovem de 15 anos foi executado; na Checoslováquia, crianças judias do gueto de Theresienstadt, como o menino Tomas Kulka, de 7 anos, foram deportadas para o campo de extermínio nazista de Sobibór, na Polônia, e morreram envenenadas com gás.

Getulio Vargas, porém, aparentemente simpatizante do fascismo, havia escrito em seu diário, em janeiro de 1942[1]: "Pare-

---

1. Vargas, Getulio. *Diário (1930-1942)*. São Paulo: Siciliano; Rio de Janeiro: FGV, 1995.

ce-me que os americanos querem nos arrastar à guerra, sem que isso seja de utilidade, nem para nós, nem para eles". Essa decisão pró-aliados só aconteceu no mês de agosto, quando pracinhas da Força Expedicionária Brasileira (FEB) foram enviados para lutar na Itália.

Porém, em maio daquele ano, os ataques a navios mercantes brasileiros atribuídos a submarinos alemães criaram um clima de insegurança entre os marítimos. Por isso, no final daquele mês, Vargas publicou o Decreto-Lei n. 4.350[2], que dispunha "sobre a contagem do tempo de serviço dos marítimos empregados nas linhas consideradas de risco agravado" e os sujeitava "aos preceitos disciplinares e penais militares". Uma medida visava assegurar "a regularidade dos transportes marítimos e vantagens ao pessoal nele empregado".

Naquele momento, o rádio ainda não tinha assumido a postura de disseminar o ódio contra Hitler e Mussolini. Sua missão específica era satanizar os japoneses, missão que cumpria com uma dedicação quase obsessiva. Quem não odiasse japonês não merecia ser chamado de brasileiro.

A iminência de o Brasil entrar na guerra pairava no ar – só não se sabia ainda de que lado – e tornava cada vez mais tenso e cinzento aquele sábado, 9 de maio, quando a dona de casa Eurydice de Mendonça Lopes chamou pelo marido, o pedreiro Luiz Braz Lopes, e avisou que começara a sentir as primeiras contrações do parto.

Aos 54 anos, seu Luiz já estava acostumado com esse alerta. Afinal, já era a décima quarta vez que vivia momento semelhante.

---

2. Publicado no *Diário Oficial da União* de 31 de maio de 1942.

Uma delas em seu casamento anterior. Às vésperas dos 42 anos, dona Eurydice já havia dado à luz doze filhos e jurava a si própria que aquela seria a última. Poria no mundo a raspa do tacho[3].

Enquanto o marido corria a buscar dona Lucinda, a parteira portuguesa que trouxe ao mundo centenas de crianças do subúrbio carioca de Irajá, nos anos 1940, entre elas a maioria dos filhos do casal, Eurydice pedia a Nossa Senhora do Bom Parto que não lhe faltasse naquele momento.

Bacia com água quente, muitos panos e as mãos da velha senhora, de pele lustrosa e tão vincada quanto o mapa da cidade, puxam do conforto de nove meses um menino que vai ser batizado de Nei Braz Lopes. A miudez do caçula dos Lopes chega a chamar a atenção. Mesmo assim, um parente que tem um contato numa rádio carioca e está ávido por agradar ao casal escreve um breve texto que é lido pelo locutor: "Parabenizamos os pais, Luiz e Eurydice, pelo nascimento de seu décimo terceiro filho, um lindo e robusto garotão".

Ouvindo a notícia no velho rádio da sala, uma irmã de Nei, que o estava embalando, ficou tão pasma com o que foi dito que não percebeu o bebezinho escorregando de seus braços e por pouco não indo parar no chão. Boquiaberta, demorou a notar que ele estava dependurado e que ela segurava apenas o cobertorzinho que, antes, envolvia o garoto "robusto".

Se este fosse um roteiro de cinema, a cena terminaria com um choro do recém-nascido: um mesticinho franzino, de olhos

---

3. A expressão popular "raspa do tacho" refere-se ao último filho de uma família numerosa. Às vezes, a diferença de idade com relação ao irmão que o antecede é bem grande. No caso de Nei, essa diferença é de apenas três anos.

mais miudinhos ainda, quase como os de um japonês. "Japonês? Credo! Bata na boca!", diriam os que aprenderam a odiar os nipônicos.

UM BREVE FLASHBACK

O retrato do imperador D. Pedro II se destaca na parede sobre o *étagère*[4], na sala de jantar daquela casa entre os bairros de Catumbi e Santa Tereza, região de chácaras ao pé da Serra da Carioca. Para seu morador, solicitador do Banco do Brasil – uma espécie de despachante –, o mestiço José Santa Inês dos Reis, monarquista convicto, não interessa se a República resiste a todos os ataques dos defensores do antigo regime. Tanto faz também se o ano é 1900 e se está nascendo o promissor século XX, o último, segundo Nostradamus, que havia afirmado: "De 2000 não passará!" O que importa é sua lealdade ao ex-imperador, exilado em Portugal e falecido, em 1891, em Paris.

Orgulha-se de saber de cor o nome todo do segundo e último imperador brasileiro: Pedro de Alcântara João Carlos Leopoldo Salvador Bibiano Francisco Xavier de Paula Leocádio Miguel Gabriel Rafael Gonzaga de Bragança e Habsburgo, detentor do título de *O Magnânimo*.

Como outros "remediados" que vivem na capital federal, José dos Reis está, dentro de suas posses, sempre dignamente vestido, com seu *croisé* (lê-se "cruazê"), o jaquetão negro trans-

---

4. Nome francês de um móvel utilizado em salas de jantar. Geralmente tinha pouco mais de um metro de altura e servia como aparador. Era guarnecido de gavetas nas quais se guardavam talheres, toalhas de mesa, guardanapos e outros apetrechos usados nos almoços e jantares.

NEI LOPES

passado, com vários botões, semelhante ao usado por D. Pedro. E, nesse dia, está especialmente feliz, pois, pela manhã, recebeu do genro, Feliciano Bernardo, funcionário público como ele, a notícia de que acaba de ser avô de uma linda menina, que vai se chamar Eurydice Leopoldina. Para alegria de José, Feliciano vai dar à criança como segundo nome o da imperatriz, que faleceu lá mesmo no Rio, em 1826.

Sua esposa, dona Alcina Rodrigues Viana dos Reis, só parou de tricotar peças do enxoval do bebê para preparar a canja do resguardo da filha, Ernestina. Sem esquecer, é claro, de acender uma vela e orar a Sant'Ana, a mãe da Virgem. Oração forte, nessa hora, pedindo proteção à recém-nascida. A filha é espírita, mas nessas horas todas as orações são bem-vindas.

Nei Lopes não conheceu seus avós nem bisavós, mas encontrou uma rara fotografia de dona Alcina, já bem velhinha, a quem descreve com "um rostinho doce, parecendo uma portuguesa". A meia-irmã, Lurdes, descrevia dona Ernestina, mãe de Eurydice, como "uma índia forte, de cabelos negros e lisos". Brancos, pretos, mestiços, caboclos parecem ter convivido na ancestralidade materna de Nei Lopes, situada na região de Santa Tereza e do Catumbi.

EM TORNO DO PAI, ALGUM MISTÉRIO

Já mais próximo do mar, no bairro imperial de São Cristóvão, a chegada do século XX encontra o menino Luiz Braz, de 12 anos, na rua, se defendendo como pode. Às vezes, trabalha até aos domingos, depois de assistir à missa na Igreja de Nossa Senhora da Lampadosa, "no centro do Rio, sede da Irmandade dos Homens Pardos", onde foi batizado poucos meses após seu nascimento, no ano de 1888.

Não por acaso negros como ele gostavam e até hoje gostam de assistir à missa naquela que é a igreja da padroeira dos escravizados mestiços. Apesar de não pertencer à irmandade, fundada em 1740, Luiz já ouviu várias histórias sobre a devoção à Virgem, cuja imagem é venerada na Ilha de Lampadosa, no mar Mediterrâneo, entre a Sicília e o norte da África.

Ele sabe, por exemplo, que a irmandade teve como sede, por oito anos, ora a Igreja do Rosário, ora a de São Benedito, até que o casal Pedro Coelho da Silva e Teresa de Jesus de Almeida cedeu um terreno amplo para a construção daquela bela igreja, em devoção à Virgem Maria.

O que o menino não sabia é que foi ali que o inconfidente mineiro Joaquim José da Silva Xavier, o Tiradentes, passou suas últimas horas, aguardando a execução. Em compensação, ele sabia muito bem que estava protegido das moléstias de garganta. Afinal, nasceu em 3 de fevereiro, dia de São Braz, recebendo, por isso, o nome do santo. No futuro, também legará aos filhos o nome Braz, para desencanto do cunhado e compadre Manoel Mendonça, para quem os sobrinhos deveriam envergar o sobrenome Mendonça Lopes.

Luiz nasceu num tempo em que poucas crianças eram registradas em cartório. A maioria, porém, tinha atestado de batismo. Mesmo que não os tivessem consigo, havia nas igrejas o registro nos livros dos batizados. Por isso, em 2008, ansioso por saber um pouco mais sobre o pai – falecido em 8 de maio de 1960, às vésperas de o filho caçula completar 18 anos –, Nei aproveitou a motivação de se completarem 120 anos do nascimento de Luiz Braz e resolveu procurar pelo registro de seu batismo na Igreja da Lampadosa.

Acontece que, do lado paterno, até os anos 1990, Nei Lopes só sabia da existência de um casal de sobrinhos: um policial militar chamado Gumercindo, que não chegou a conhecer, e a irmã dele, Dolores, que nos anos 1950 já era idosa e tinha vários filhos. Dos avós paternos, conhecia apenas os nomes: Luiz Cândido Narciso Lopes e Branca Aida da Costa Lopes. "Aida e não Aída, como a ópera. Meu pai insistia que a tônica do nome dela era o A", comenta o compositor.

Pela mão de um amigo, o respeitado historiador Flávio dos Santos Gomes ("instrumentalizado por Ifá-Orunmilá[5]", ressalta Nei), descobriu nos livros o registro de batismo do pai, em 1888. Entre os documentos, há provas de que Nei teve pelo menos duas tias paternas também batizadas naquela igreja: Lucinda e Luiza, respectivamente em 1884 e 1886.

Além das tias, descobriu os nomes de seus bisavós paternos, Cândido Narciso Lopes e Anatalia Lopes, pais de Luiz Cândido, o pai de Luiz; e Antonio Cordeiro de Sena e Henriqueta de Sena Cordeiro (ou Cordeiro de Sena), os pais da avó de Nei, Branca Aida da Costa Lopes. "Esse foi o grande acontecimento do meu ano de 2008", confessa feliz.

---

5. O Ifá, na cultura ioruba (a de predominância no culto do candomblé brasileiro), é a arte da adivinhação, que está além da imaginação e do subconsciente. Orunmilá é o senhor do dia, o orixá da sabedoria, do conhecimento, da paciência, do destino, o que tudo sabe sobre o passado, o presente e o futuro. Para praticantes do candomblé, Ifá-Orunmilá é a revelação de tudo que está oculto e tem alguma influência em nossa vida, ou mesmo antes ou depois dela.

Oswaldo Faustino

Até a data dessa descoberta, acreditava-se que Luiz Braz tivesse sido um "infante exposto", nome dado a crianças abandonadas, muitas vezes deixadas na chamada "roda dos enjeitados", uma caixa redonda instalada no muro de conventos ou santas casas de misericórdia, onde mães solteiras e outras mulheres que não podiam criar os filhos colocavam-nos para que fossem criados pelos religiosos ou famílias caridosas. Essas rodas protegiam a identidade da mulher, que não podia, com o passar do tempo, reivindicar seus direitos de mãe.

Os "infantes expostos" jamais saberiam quem eram seus pais e mães. Luiz Braz, porém, tem em seu registro de batismo o nome dos pais, Luiz Cândido e Branca Aida, embora, ao que parece, não os tenha conhecido; e jamais mencionou a existência de seus avôs.

Nomes como Luiz e Luiza, no passado, eram dados a muçulmanos traficados de regiões como Mali e Benin, onde o islamismo era religião dominante. Muito organizados, os malês, como esses grupos eram conhecidos no Brasil, por pouco não tomaram a Bahia. Entre eles estava Luiza Mahin, mãe do poeta e advogado abolicionista Luiz Gama.

Carioca da gema há pelo menos duas gerações, Nei Lopes imagina que possa ter ascendência entre os malês baianos. Está aí outro mote para mais uma pesquisa desse incansável "buscador" e analista das questões que envolvem nossas origens.

A HONRA NA CONTRADANÇA

Além de compor, cantar, pesquisar e escrever, dançar é para Nei Lopes um misto de prazer e arte, um quase exibicionismo herdado dos pais. Não fosse o gosto pela dança, Luiz não teria ido a um baile no bairro de Santa Tereza, numa casa de família, ali por 1914. Estava com quase 26 anos e criava sua filha Lurdes, cuja mãe morrera, talvez durante o parto.

Assim que chegou àquela festa, seus olhos se encontraram com os de uma menina, apenas uns dez anos mais velha que sua filha, que dançava divinamente. "Me dá a honra nesta contradança?", foi o convite, logo aceito, enquanto ajeitava na mão direita o lenço com o qual tocaria as costas da pequena dama. Enquanto rodopiavam pela sala, entre os demais casais, ele soube que ela se chamava Eurydice e teve a certeza de que se tornaria uma companheira para os próximos 46 anos.

Dessa dança ao pedido de casamento aos pais da garota foram poucas semanas. Alguns meses depois, os dois estavam unidos até que a morte os separasse. Era o ano de 1916. Eurydice ainda estava com 15 anos; Luiz, com 27. Depois de morar de aluguel por breve período, no bairro da Piedade, quando nasceu Ernesto, mudaram-se para o subúrbio de Irajá, em 1918.

Viveram numa casa alugada na Rua dos Inválidos, atual Gustavo de Andrade, por cerca de cinco anos. Ali nasceram Noco (Dayr), no mesmo ano; e Dulce, em 1919. No ano seguinte, apesar dos parcos recursos, conseguiram comprar um amplo terreno arborizado, na Travessa Pau-Ferro, onde o núcleo da família Lopes está até hoje.

Atualmente, o Irajá é um grande centro urbano, mas na época em que o casal chegou ali era uma área rural, com todas as suas características: matas intermináveis, sítios e fazendas, carros de boi, procissões, samba rural, festas da padroeira e a maria-fumaça, com seu apito na curva e ruído ritmado. Eurydice e Lurdes poderiam brincar juntas de boneca, mas a menor logo aprendeu a chamar a outra de mamãe.

Como dizem por aí, não existem coincidências. O nome da pequena Travessa Pau-Ferro (parte da hoje extensa Rua Honório de Almeida) não poderia ser melhor. Essa árvore de grande porte nativa da Mata Atlântica é conhecida pelas faíscas e pelos sons metálicos produzidos na tentativa do machado de cortar seu tronco, duro demais. De copa arredondada, ampla, folhagem perene, flores pequenas e amarelas, produz vagens também duras e resistentes, que, secas, dão excelentes chocalhos. Suas propriedades medicinais, relacionadas com o sistema circulatório, vão do estancamento de hemorragias ao tratamento de diabetes, ajudando também como expectorante e na cura de várias afecções. Conhecida como ébano brasileiro, essa madeira, utilizada na construção civil, também é usada na fabricação de violões, violinos e, claro, cavaquinhos e bandolins.

E foi com a energia sem fim e a dureza de caráter comparada ao pau-ferro que Luiz se dedicou a construir a casinha modesta que irá se ampliando e se adaptando conforme forem chegando os filhos. Nem imagina que somarão treze: além de Lurdes, do primeiro casamento, vieram: Ernesto (1917-1971), Noco (Dayr, 1918-2003), Dulce (1919-1925), Lozinho (Luiz Braz Lopes Filho, 1922-1992), Gimbo (Jorge, 1926-1989), Dica (Waldyr, 1927), Néli (Oldemar, 1928-1947), Mavile (Ismar, 1930-2008), Tonga (Sebastião, 1932), Quinha (Avanir, 1935), Namir (1937), Zeca (José, 1939-1984) e, por fim, Nei, em 1942, na mesma época em que Ernesto, o irmão mais velho, se casou.

Há quem acredite que o 13 – número da borboleta, das asas multicoloridas – traz sorte. Eurydice sabe que sua raspa do tacho é mesmo um garoto predestinado. Taurino – um dos três signos do elemento terra –, ele deverá ser escrupuloso, determinado, paciente, amoroso, apesar de em alguns momentos ser também materialista, teimoso e argumentador. Valorizará por demasia o prazer e gostará muito de vestir-se bem e comer melhor ainda.

Em 1942, ainda não era moda curtir o horóscopo chinês. Se fosse, ela saberia que o signo do filho é o cavalo, que caracteriza pessoas muito populares, principalmente por sua jovialidade. De natureza mutável, apaixonam-se e desapaixonam-se facilmente. Aventureiros natos, valorizam, acima de tudo, a liberdade. Autoconfiantes, impetuosos e muito exigentes, coisas mínimas os encolerizam. Não se negam, porém, a ceder às demais opiniões. Com tudo isso, mantêm sempre o bom humor com relação à vida. Dotados de um extremo poder de persuasão, são felizes vendo o mundo girar em torno de si.

A todas essas características se somarão as de Logun Edé, seu orixá eledá – guardião de sua cabeça –, a quem ele só botou assentamento na década de 1970. Formando uma tríade com seus pais, Oxum e Oxóssi (Erinlê de Edé), Logun Edé traz da mãe o narcisismo, a vaidade, o gosto pelo luxo, a sensualidade, a beleza, o charme e a elegância. E, do pai, características semelhantes, mas também a cautela, a objetividade e a segurança. Um filho de Logun Edé sente imensa compaixão pelos que sofrem, é sincero, curioso, perfeccionista – o que o faz se irritar com facilidade, podendo explodir em fúria –, impulsivo. Tem o dom de captar o íntimo das pessoas e se adapta a qualquer ambiente. Carismático, acaba atraindo grande número de amigos e admiradores.

Enfim, mesmo antes de nascer, Nei está visceralmente ligado à sina da família Lopes, com suas alegrias e tristezas, como a doença gastrintestinal que matou a terceira filha do casal, Dulce, aos 6 anos. A enfermidade, à época conhecida como "nó nas tripas", pode ter sido uma grave apendicite ou, mais provavelmente, uma diverticulite. A morte da pequenina aconteceu em 1925, pouco depois de Luiz Braz conseguir emprego na Casa da Moeda.

Todos sentindo orgulho de ver, em 1932, o tio Manoel Mendonça, irmão da mãe, fardado, marchando com a tropa rumo ao Vale do Paraíba, para enfrentar os paulistas na Revolução Constitucionalista. E vertendo lágrimas, pouco mais tarde, ao acompanhar o enterro da matriarca materna, Ernestina Alves de Mendonça. Lágrimas de alegria também rolarão, ali por volta de 1938, quando Gimbo ingressar na cobiçada Escola Técnica Visconde de Mauá; e, depois, com a entrada de Dica no Colégio Republicano, embora as dificuldades financeiras logo tirassem do convívio escolar os dois, extremamente bem-dotados intelectualmente.

E então virá a guerra, e o que a família mais teme acontecerá, em 1944: Noco será convocado para integrar a Força Expedicionária que seguirá para a Itália. As lágrimas de dona Eurydice só deixarão de rolar na festa da vitória, em 1945. Além de assistir à missa na igreja perto de casa, ela implora aos santos, que discretamente "recebe" em sua casa, pedindo proteção ao filho. Atendida, a família festejará com feijoada e, claro, muita dança.

O fim da guerra encontra Nei com apenas 3 anos. Quem poderia imaginar que a data de seu aniversário viraria manchete de jornal sessenta anos depois? É que, em 2005, o prefeito de uma cidade chamada Esperantina, no longínquo Piauí, sancionou uma lei consagrando essa data como "o dia do orgasmo", o que provocou em nosso personagem uma profunda irritação com a falta do que fazer de muitos dos políticos brasileiros.

Mas o fato é que, mesmo que quisesse, Nei Braz Lopes não conseguiria fugir de seu destino. Tudo conspirou para que ele se tornasse um artista produtivo, associando criação e prazer – verdadeiros orgasmos artísticos culturais –, colocando inteligência, talento, criatividade e uma quase obsessão na produção de versos e músicas e na busca e divulgação de histórias, personagens e fatos que elevem, cada vez mais, o povo afrodescendente.

1.
"Ao povo em forma de arte"[6]

Das brincadeiras de infância, desenhar na areia fina, branca e muito limpa, em frente à própria casa, era a que mais lhe dava prazer. Daí a descobrir o talento de reproduzir e recriar as imagens que via ao seu derredor foi um pulo. Da areia ao papel, da grafite ao lápis de cor, às tintas guache, ao nanquim, do papel à tela. E Nei foi descobrindo, cada vez mais, a necessidade de se expressar por intermédio das linguagens artísticas. "Desenhos eu sempre fiz direitinho, como, aliás, quase todo mundo lá em casa."

O primeiro canal pelo qual as demais artes invadiram seu coração foi o Grêmio Recreativo Pau-Ferro, fundado em 1957 pelo pai e por amigos. No ano seguinte, o grêmio adquiriu sede própria, em frente à casa dos Lopes. Naquele espaço, alguns

---

6. Esse título, que foi enredo da Escola de Samba Quilombo, em 1978, com samba-enredo de Nei Lopes e Wilson Moreira, foi extraído da frase marcante do homenageado daquele ano, o poeta pernambucano Solano Trindade: "É preciso pesquisar na fonte de origem e devolver ao povo em forma de arte".

de seus irmãos e outros músicos amadores realizavam rodas de choro e outros eventos musicais. Um espaço eclético, onde o irmão Zeca organizava montagens teatrais e shows, dos quais ele e Nei participavam, cantando e dançando – inclusive um ritmo gringo, criado pelos negros americanos, chamado rock'n'roll, aquele de Little Richard e outros grandes artistas. Mas também adoravam tentar fazer vocais semelhantes aos de grupos como The Platters.

Em entrevista ao antropólogo Cosme Elias, publicada no livro *O samba de Irajá e de outros subúrbios – Um estudo da obra de Nei Lopes* (Rio de Janeiro: Pallas, 2006), Nei afirma que o Grêmio Pau-Ferro foi seu campo de socialização: "Lá, fui diretor-secretário, aquele cara que redige as atas e cuida da burocracia, ator do teatrinho, cantor e bailarino, no show dos domingos, escrevi e ensaiei pecinhas teatrais, desenhei e tive as primeiras namoradas. Foi meu campo de provas".

Além de saberem extrair sons de tudo quanto lhes estivesse ao alcance, as mãos do garoto Nei se revelaram mágicas para as artes plásticas, ainda na pré-adolescência, aos 11 anos, quando ingressou na Escola Técnica Visconde de Mauá. "Em 1953, o concurso para entrar na Mauá era disputadíssimo. Todo pai pobre sonhava em ter um filho lá. O meu era semialfabetizado. Aprendeu a ler e escrever o próprio nome com um colega, com quem fazia calçamento na rua. E eu passei em primeiro lugar. Meu pai sempre lembrava que o dia em que ingressei como primeiro aluno na Mauá foi um dos dias mais felizes de sua vida."

Em pouco tempo, além de desenhar muito bem, Nei começou a fazer versos, alguns deles publicados no jornal dos estudantes. Um de seus "sonetos de pé quebrado", como ele mesmo define, intitulado *Escola Técnica Visconde de Mauá*, demonstra que, em 1957, Nei nutria um grande carinho pelo colégio em que estudava. Amor fiel que jamais cedeu lugar até mesmo à universidade, na qual ele ingressou alguns anos depois:

> *Mesmo aos golpes do tempo já vencidos*
> *Depois de novos destinos tomados*
> *Quando já estivermos alquebrados*
> *Lembremo-nos dela reconhecidos...*
>
> *Bela quadra de nossas jovens vidas*
> *Nós passamos, nós vivemos nela,*
> *E, nos cansaços das nossas duras lidas,*
> *Voltemos sempre a mente para ela.*
>
> *E ela há de nos ser sempre gloriosa*
> *E há de ser qual despetalada rosa*
> *Das nossas existências no jardim.*
>
> *É preciso, portanto, que nós todos*
> *A amemos sempre e de quaisquer modos*
> *Sem quaisquer restrições até o fim.*

"Não sei bem como a poesia veio à minha vida. Acho que foi quando quis escrever uma cartinha para uma menina e quando vi já estava rimando", comenta, num esforço de memória. No ginásio, destacou-se como orador. Toda data cívica, lá estava Nei Braz Lopes lendo um discurso em exaltação aos "pais da Pátria". Orador e poeta. Virava e mexia, lá estava ele, no palco ou discursando sobre um caixote, exaltando ou criticando. "Há de ser um grande advogado", comentava Bianor, o severo inspetor de alunos. "Mal sabia ele que o jovem poeta adorava mesmo era fazer versinhos sacaneando colegas e professores", lembra Nei, se divertindo.

Bianor imaginava mesmo que Nei um dia se tornaria advogado. E houve um episódio na Visconde de Mauá em que ele quase viu isso se realizar. Dois meninos do internato foram apanhados, à noite, em circunstância considerada imoral. Então, resolveu-se montar um tribunal para julgá-los e puni-los, pois aquela era uma escola masculina de costumes rígidos. Nei se recorda do clima que se formou nos preparativos do julgamento: "Pois o Bianor me escolheu para advogado de defesa. Eu topei, mas o tribunal se desfez antes mesmo de ser realizado".

Com relação à literatura, seu tio e padrinho, Manoel Mendonça, foi sempre um grande incentivador. Presenteou-o com *Poesias completas de Olavo Bilac*. "Aí eu virei 'parnasiano', com muito gosto pela forma dos versos, o que até hoje se reflete nas letras dos meus sambas."

De Bilac a Ghiaroni[7]; de Castro Alves a Augusto dos Anjos; de Gonçalves Dias a Manuel Bandeira; e, mais tarde, Aluísio Azevedo e Lima Barreto, ler tornou-se um saboroso lazer. E não faltou apoio: "Nesse lance, um colega, Almir do Nascimen-

---

7. Giuseppe Artidoro Ghiaroni (1919-2008), poeta e jornalista fluminense. Além de escrever poemas antológicos, atuou em rádio e também foi redator de programas para TV, como o humorístico *Escolinha do professor Raimundo*, de Chico Anysio, na Rede Globo, nas décadas de 1980 e 1990.

Oswaldo Faustino

to Conceição, que tinha um irmão chamado Adilson, tinha deixado a escola para trabalhar como contínuo do escritório de um escritor famoso (acho que Paulo Mendes Campos ou Fernando Sabino). Ele começou a me municiar com livros de poesia e contos de autores novos, que o patrão nem abria, quase todos com dedicatórias. E por aí eu fui".

Aliás, antes ainda do padrinho, o irmão Ismar, o Mavile, operário gráfico que trabalhava com encadernação, falecido em 2008, adorava presenteá-lo com livros: "Ele fazia isso de uma maneira meio anárquica. Eu devia estar no pré-primário quando ele me trouxe um livro de geometria analítica. Só me foi útil uns seis ou sete anos depois. Quando entrei na faculdade, ele fez bonito: deu-me uma coleção completa do Código Civil comentado por Clóvis Beviláqua. Quando deixei a advocacia, dei a Antonio Carlos Torres, um amigo meu, negro, que hoje é desembargador no Tribunal do Rio".

Falando de desenhos e versos, Nei sempre foi muito exigente consigo mesmo. Quando lia um verso pensava numa melodia, nem que fosse à guisa de trilha sonora, algumas delas com o requinte dos sons oriundos do Caribe. "O interessante é que o Almir gostava de jazz e música afro-cubana, caribenha em geral. O pai dele era da Marinha e trazia discos, em suas viagens. A gente ia escutá-los na casa dele, em Marechal Hermes. Até hoje sou doido por música afro-cubana. Que tive oportunidade de ouvir, *in loco*, nas três abençoadas viagens que fiz a Havana."

Boleros, mambos, rumbas, chá-chá-chás (moda internacional nas rádios cariocas dos anos 1950), a *caliente* sonoridade caribenha embalava seus sonhos juvenis. Mas o coração de Nei batia, de verdade, ao ritmo de um surdo de marcação. Surdo e contrassurdo, somados à baixaria[8] de um bom violão.

Em surdina, o mesmo coração se acelerava ouvindo relatos de uma tia de sua meia-irmã Lurdes. Chamava-se Zica e era cozinheira de mão cheia. No carnaval, ela saía de terno e gravata na ala de compositores da Portela. Anos depois, Monarco e Casquinha, da velha guarda daquela escola de samba, fizeram referências elogiosas a ela. Saborear seus quitutes e se deixar contagiar pelo seu profundo amor pelo samba era inevitável. "Nessa época, ela até tentou criar um bloco infantil, lá na Pau-Ferro, mas não deu certo", lembra o compositor.

Já na década de 1970, outro bloco carnavalesco fez a alegria dos Lopes: o Bloco do Rascunho, criado pela família por volta de 1975, que saiu por uns três anos pelas ruas de Irajá e Vista Alegre, bairro adjacente, entre Irajá e Cordovil, que hoje é de classe média emergente.

A festa inaugural do bloco contou com a presença de celebridades do mundo do samba, como o compositor Monsueto[9] e o mestre-sala da Império Serrano, Noel Canelinha, que "batizou" a bandeira. "Teve outra grande festa do Bloco do Rascunho, em que o relações-públicas Geraldo Careca levou Aluízio

---

8. A palavra "baixaria", aqui, se refere ao dedilhado das cordas mais grossas do violão – 6ª, 5ª, 4ª (e 7ª, nos vilões de sete cordas), contando de baixo para cima –, que produzem os sons mais graves (baixos), muito comum na música popular brasileira, em especial no samba e no choro.

9. O carioca Monsueto Campos de Menezes (1924-1973), sambista, cantor, compositor, instrumentista, pintor e ator. Compôs, entre outros sucessos: *A fonte secou* (com Tufi Lauar e Marcléo), *Eu quero essa mulher assim mesmo* (com José Batista), *Me deixa em paz* (com Aírton Amorim), *Mora na filosofia* (com Arnaldo Passos) e *Lamento da lavadeira* (com João Vieira Filho e Nilo Chagas).

Oswaldo Faustino

Machado[10], João Nogueira[11] e outros bambas. Geraldo conhecia todo mundo", comenta Nei.

Ele enfatiza, porém, que o Rascunho era um bloco familiar despretensioso, em que, no carnaval, brincavam parentes, crianças e velhos da vizinhança, fantasiados de burrinha, palhaço, pirata e personagens afins. "Éramos umas cem pessoas, no máximo – enquanto o Boêmios de Irajá reunia umas 3 mil –, mas com uma bateriazinha muito bem ensaiadinha. O grande diferencial é que tinha compositores excelentes, com destaque para um grande sambista chamado Orlando Sobral. Os sambas eram, por isso, de surpreendente qualidade, tanto que até hoje são lembrados nas reuniões da família."

Pode-se dizer, sem exagero, que Nei Lopes nasceu com o DNA da arte. A mãe, segundo ele, tinha uma linda voz. Nei até hoje traz na memória a imagem de Eurydice passando roupa, com o ferro a brasa e cantando sambas de Sinhô. "Ouvi também falar da musicalidade do pai dela, que, quando jovem, tocava bombardino[12]."

Dois tios maternos também eram músicos: Alberto, flautista; e o padrinho, Manuel, violonista, que na década de 1930 integrou uma pequena orquestra chamada "Turunas Cariocas".

---

10. Aluízio Machado (1939), maior vencedor de sambas-enredo da escola de samba Império Serrano – onze pérolas, entre elas a inesquecível *Bum-bum paticumbum prugurundum* (1982) –, conquistou quatro estandartes de ouro, ficando atrás apenas da imbatível dupla Silas de Oliveira e Mano Décio da Viola.
11. João Nogueira (1941-2000), cantor e compositor carioca, de voz grave e uma característica peculiar de interpretação, pai do intérprete Diogo Nogueira.
12. Instrumento de sopro de metal que produz um som grave; é formado por vários tubos, num aparente emaranhado, três pistões e boca larga voltada para o alto.

Nei ainda hoje tem fotos dessa orquestra, com o padrinho dedilhando o violão-banjo.

Outras influências familiares, como a de irmãos, foram recebidas na infância. Gimbo estudou música e foi trombonista de gafieira até o fim da vida, na década de 1980. Zeca se tornou *crooner* de orquestra de gafieira. E Ernesto, o primogênito da família, falecido nos anos 1970, era violonista e foi quem musicou seus primeiros versos.

O prazer do menino Nei pela arte do desenho também pode ter recebido um pouco de influência de Gimbo, que era gravador artístico na Casa da Moeda, função que conquistou por concurso, depois de ter sido contínuo por muito tempo. "Mas quem me influenciou mesmo, forte, foi meu irmão Dica, grande desenhista e músico, que enchia a casa com os discos que comprava. Dos sons maviosos do jazz norte-americano aos de pioneiros brasileiros como Garoto e Dick Farney, entre outros."

O amor pelo teatro, que teve início no palco do Grêmio Pau-Ferro e, mais tarde, nos anos 1960, nas atividades do Centro Popular de Cultura (CPC), na faculdade de Direito, Nei acredita que tenha herdado do tio-avô materno Juca (José Domingos dos Reis), ator amador e muito engraçado. Seu grande espelho, porém, era mesmo Zeca, que desenvolveu suas atividades artísticas naquele grêmio durante toda a década de 1960. "Nesse teatrinho, nós éramos muito incentivados pelo artista circense Horácio Olimecha, nosso vizinho. Desenvolvemos a capacidade do improviso, em pecinhas encenadas à moda da *commedia dell'arte* medieval italiana, como vim a saber bem depois", conta Nei.

Quando o jovem Nei começou a frequentar escolas de samba, a polícia já não perseguia os sambistas, como lhe contavam os mais antigos. Mas, graças à chamada Lei de Vadiagem[13], ele, como os demais, volta e meia era parado por policiais da Rádio Patrulha e submetido a uma "geral". Aí, tinha de mostrar as mãos calejadas, prova nem sempre contundente de que trabalhava: "Esses calos são de pular muro para roubar galinha, negrão!" O pior é que, graças às atividades que sempre exerceu, Nei Lopes nunca teve calos nas mãos. Então, como dizia um samba famoso de José Batista e Magno de Oliveira, interpretado por Cyro Monteiro, tinha de "rebolar, rebolar, rebolar" para argumentar que era trabalhador. Tirando esses dissabores, o resto, no samba, era só alegria.

Não. Calos nas mãos jamais seriam o forte do rapazinho. Tinha mãos de desenhar, de escrever. Apaixonado pela leitura e com um espírito desbravador, Nei concluiu que Bianor tinha mesmo razão: ia se tornar advogado. E os irmãos mais velhos deram apoio total, enquanto ele fazia o curso científico e o pré-vestibular. Uma grande festa familiar, organizada por Zeca, comemorou o nome Nei Braz Lopes na lista dos aprovados pela tradicionalíssima Faculdade Nacional de Direito da Universidade do Brasil (atual UFRJ), em 1962.

Só faltou seu Luiz, já falecido. Poucos viram, mas lá no alto uma estrela piscou várias vezes naquela noite. Era o velho enxugando as lágrimas de emoção por ver o filho tornar-se o primeiro universitário da família.

---

13. O artigo 59 da Lei das Contravenções Penais prevê pena de quinze dias a três meses de prisão para quem "entregar-se habitualmente à ociosidade, sendo válido para o trabalho, sem ter renda que lhe assegure meios bastantes de subsistência, ou prover a própria subsistência mediante ocupação ilícita". Naquela época, a pena era extinta assim que o preso arranjasse um trabalho ou outro meio que garantisse sua subsistência.

AGITAR TAMBÉM É CULTURA

Por mais que se esforcem, os mais jovens jamais conseguirão imaginar o que foram os anos 1960 na vida brasileira. Em especial na vida dos brasileiros que pensavam, que tinham opinião, que militavam por alguma causa nobre – os direitos humanos, por exemplo. Ser estudante, em particular naquela década, ia muito além do conceito atual de vida acadêmica. Grêmios, centros acadêmicos, assembleias, questões de ordem, camaradas, clandestinidade, Umes, UNE. As palavras-chave do momento eram: organização, agitação, marcar posição. Assim, os estudantes exigiam de si próprios e de seus pares participação ativa na vida política nacional.

Era essa a cara do mundo acadêmico: uma juventude ativa e de opinião, ávida por revolucionar e a maioria simpática ao socialismo soviético ou ao comunismo chinês. As palavras de ordem eram: "Não ao capitalismo! Morte à burguesia! Poder para o povo!" Não era à toa que os militares estavam apreensivos naquele ano de 1962, e já se preparavam para o golpe que os colocaria no poder, instaurando a ditadura, que durou mais de vinte anos.

As salas de aulas eram sempre muito menos interessantes que as atividades extracurriculares. A política estudantil, o diretório, os eventos artístico-culturais atraíam Nei e se tornam seu forte. Assim, sairá da faculdade com dois diplomas: o de bacharel e o de artista. O primeiro irá para a parede do escritório. O outro norteará seu dia a dia.

Assim que ingressou na Faculdade Nacional de Direito, Nei Lopes entrou para o Centro Popular de Cultura do Centro Acadêmico Cândido de Oliveira (CPC do Caco) e passou a atuar em teatro e a escrever peças, com a parceria e a direção do ator Carlos Vereza, que era o "adido" da União Nacional dos Estudantes (UNE) naquele CPC. Lá, desenvolveu ainda mais seu talento de chargista e redator, participando da publicação da revista acadêmica intitulada *Época* e do jornal mural *Movimento Literário*. Também se encarregou da elaboração de faixas e cartazes para todas as atividades extracurriculares.

Tornou-se simpatizante do Partido Comunista Brasileiro (PCB) e faz questão de esclarecer: "Não assinei nenhum termo de filiação, mas participava da base do Caco, de reuniões clandestinas, sábados à tarde, cada semana num lugar", sorri amarelo, lembrando da paranoia em que todos viviam. "Numa dessas, fui bater num apartamento de onde vinha um tremendo cheiro de feijão. Era do Monsueto... Mas essa história fica para o próximo livro", promete Nei Lopes.

Em 1966, quando se bacharelou em Ciências Jurídicas e Sociais, o doutorado era apenas uma complementação, e ele afirma que já não tinha nenhum interesse pela universidade. Com o diploma embaixo de um braço e os códigos Civil e Processual sob o outro, foi exercer a profissão de advogado, já sabendo que aquela seria uma atividade de vida curta.

Na verdade, dois anos antes, Nei tinha trabalhado numa empresa em que tinha de acompanhar registros de propriedade industrial pelo *Diário Oficial* e, depois, estagiou num escritório de advocacia. Formado, antes de encontrar o rumo que realmente pretendia dar à vida, montou uma banca no subúrbio, perto de casa, na Avenida Braz de Pina, no bairro Vista Alegre, em Irajá. Ali, cuidava de casos de despejos, varas de família, questões de posse de propriedade.

NEI LOPES

De terno, gravata e pasta 007, lá ia o doutor Nei Braz Lopes rumo ao fórum para defender um réu, enfrentar uma demanda ou fazer um acordo. Seu interesse pela profissão não durou mais que cinco anos. "Comecei a achar a advocacia uma chatice", comenta.

Pensando nisso, escreveu, bem mais tarde, um samba inspirado em *O pequeno burguês*, sucesso de Martinho da Vila (*"Felicidade! Passei no vestibular, mas a faculdade é particular..."*). O samba de Nei, porém, começa com: *"Felicidade passou no vestibular* [em terceira pessoa] *e agora está ruim de aturar..."*. Seu personagem vai cursar Direito e se torna esnobe, passando a desfilar jargões próprios da profissão: *data venia, de cujus*, espólio, usucapião etc. Subliminarmente, ele faz uma autocrítica e explica, por meio do samba, o porquê da atual opção profissional.

Ainda nos tempos da faculdade, conheceu a radialista e professora Helena, com quem se casou em 1966. A paranoia pairava no ar, e Nei estava afastado das atividades consideradas suspeitas: "Em 1964, eu era um péssimo aluno e tive de largar o teatro. Precisava decidir a vida pessoal. Acabou a festa. Tinha de me formar e trabalhar. Então, saí para arranjar emprego. Em cada um, eu ficava no máximo de doze a dezoito meses. Trabalhei no escritório de uma fábrica de sabão, num de advogados, no departamento de pessoal da estatal Companhia Hidroelétrica do São Francisco e num sindicato. O temperamento libertário me falava alto e as ideias esquerdistas sempre pesavam muito", conta. Espírito libertário que acredita ter herdado do pai, que não gostava muito de patrão.

A convivência com Helena, que trabalhava na Rádio MEC e conhecia muita gente importante, como vários integrantes do movimento negro carioca, proporcionou a Nei, além dos filhos Neizinho e Maurício, o "Brício", uma boa base para seu crescimento humano e os primeiros contatos com antigos pensadores da questão racial. "Desde a infância, esse era um tema que sempre me preocupou, mas até então eu não tinha a compreensão de sua grandeza e profundidade."

Nascido numa sociedade em que para os mestiços, chamados de mulatos, é mais cômodo se considerar brancos, esse "mulatinho", como ele gosta de intitular-se, já nos anos 1960 não tinha qualquer dúvida a respeito de sua negritude. Ele entende, porém, que não adianta entrar no jogo do "chororô", das lamentações pela escravidão, pelos preconceitos, pela discriminação e pelo racismo. É preciso combater esse racismo com todas as armas possíveis. Para isso, é necessário aprofundar seus conhecimentos sobre a história e a cultura de seu povo e, assim, contribuir de verdade para a mudança da imagem dos negros – tanto para a sociedade branca quanto para as próprias comunidades negras.

Se, no passado, os escravocratas eram eficazes em transmitir aos filhos conceitos em que "coisificavam" (desumanizavam) os negros, suas atitudes obtiveram a mesma eficácia na construção de um complexo de inferioridade que, com raras exceções, foi transmitido geneticamente por grande parte das famílias afro-brasileiras. "Quantas vezes nos flagramos surpresos por termos sido bem tratados num espaço em que não é comum a presença negra?", comenta Nei Lopes.

Começa a "devorar" livros, como as obras de Arthur Ramos – *O folclore negro do Brasil: demopsicologia e psicanálise* (Rio de Janeiro: Casa do Estudante do Brasil, 1935) e *O negro bra-*

sileiro (São Paulo: Nacional, 1940). Foi quando encontrou na biblioteca do centro acadêmico *Reflexões sobre o racismo*, de Jean-Paul Sartre. A partir daí, inicia uma militância independente, por não suportar o excesso de reuniões, discursos e a pouca ação dos grupos "organizados". Nei lembra que, em 1964, a repressão quase queimou a faculdade, mas aquela obra de Sartre estava emprestada a ele. "Felizmente, eu e o livro não estávamos lá naquele 1º de abril. E ele está comigo até hoje", confirma rindo, orgulhoso por ter salvado o exemplar.

No início dos anos 1970, o interesse pelo Direito cede espaço a outras inquietações, como aquelas relacionadas com o povo negro, no Brasil e em todos os demais lugares em que foi distribuído pela Diáspora Africana. Uma nova palavra ocupa seus pensamentos: pan-africanismo[14].

Por conta de tudo isso, em meados de 1971, Nei resolveu dar adeus à advocacia. Os processos inconclusos foram repassados para o sócio Antonio de Pádua Pereira Lima. Fugiu da rotina forense, das citações jurídicas, do terno, da gravata, da pasta 007 para experimentar os limites de sua criatividade, a riqueza da inventividade. Mal sabia que cerca de dez anos depois voltaria a ocupar-se com o Direito, dessa vez no campo autoral.

---

14. Ideologia que propõe a união dos povos africanos e afrodescendentes de todo o planeta, a fim de potencializar internacionalmente a importância do continente africano e de seus emigrantes, nos demais continentes. Graças ao pan-africanismo surgiu a Organização da Unidade Africana, em uma tentativa de organização e unificação, após as lutas pela independência, na segunda metade do século XX.

2.
Um chamado, uma confirmação

"O samba mandou me chamar...", diz a composição de Haroldo Barbosa e Geraldo Jaques *Adeus América*. No caso de Nei Lopes, esse chamado teve início aos 10 anos, quando viu pela primeira vez uma escola de samba desfilando: "Era a Portela, que foi ao Irajá para prestigiar os comerciantes, que haviam assinado o livro de ouro. Um hábito que tanto representava gratidão aos beneméritos quanto garantia a simpática contribuição para o ano seguinte. Quando vi meninos da minha idade de terno, gravata e chapéu, fiquei doido. Queria aquilo de qualquer maneira".

Nei infernizou dona Eurydice por cerca de oito meses. Queria vestir-se igual. Até que, em outubro, veio a primeira comunhão, na Igreja Nossa Senhora da Apresentação. A mãe comprou alguns metros de um brim branco e meio acetinado e o levou ao alfaiate "Manuel da Dulcineia", um negro de cabelo esticado, para fazer um belo terno: o paletó, um jaquetão, com quatro botões, e a calça apertada nos tornozelos, conhecida como "boquinha".

No dia de receber o sagrado sacramento, lá foi o menino Nei, com seu terno novo, sapatos brancos, gravata e um laçarote no braço esquerdo, sentindo-se o mais elegante dos sambistas. Só faltou o chapéu: "O curioso é que minha foto daquela data é muito parecida com a do Candeia, na mesma situação, como se encontra estampado em sua biografia, escrita pelo João Baptista Vargens", comenta. Mas para completar a imagem comum aos sambistas da época Nei carecia de mais dois detalhes: um chapéu e o cabelo alisado com pasta, à base de soda cáustica, ou fritado com pente de ferro quente e vaselina.

Hoje Nei Lopes confessa que, como muitos, já alisou o cabelo ao estilo de ídolos americanos, como Nat King Cole e Little Richard, entre outros. Em 1960, logo após o falecimento de seu Luiz, chegou a ir umas três vezes ao salão do Jaime, cabeleireiro da malandragem, na Rua Mem de Sá, 104, no bairro da Lapa: "Mas não vingou. Para ficar legal era preciso ir muitas mais. Ficava caro e eu era um duro". Assim, acabou se conformando com o "cabelo duro", até chegar ao Rio a moda *black power*, em que os mestiços e negros puderam assumir a própria negritude sem sair da moda. Anos depois, Jaime foi evocado num samba de Nei Lopes, que Pedro Miranda gravou em 2009, intitulado *Compadre Bento*.

Os cabelos alisados, a indumentária e a movimentação gingada que consagraram a malandragem na década de 1940 foram influenciados pela exibição no Brasil do filme americano *Stormy weather* (1943), aqui intitulado *Tempestade de ritmos,* última atuação nas telas do lendário dançarino sapateador Bill Robinson, o "Mr. Bojangles", com um elenco totalmente negro. A elegância dos homens do elenco, com seus jaquetões, chapéus de abas largas e calças boquinha, imediatamente foi adotada pelo pessoal que trabalhava na estiva, no cais do porto, e se tornou a moda da malandragem. Do cais para o mundo do samba foi um pulo.

Nei comenta que a associação da calça boquinha com a malandragem era imediata, principalmente pela polícia: "Contam que o delegado Deraldo Padilha, um dos mais violentos e arbitrários que o Rio já conheceu, jogava uma laranja dentro da calça do suspeito. Se ficasse presa na boca da calça era voz de prisão na certa. Para ele, isso bastava para considerar que se tratava de um vagabundo". Esse personagem é lembrado pelo rei do samba de breque, Moreira da Silva, em *Olha o Padilha!*:

> *E jogou uma melancia, pela minha calça adentro,*
> *que engasgou no funil.*

E por falar em "roupa de malandro", o espírito carioca, associado à malandragem, levou Nei Lopes a desenvolver outra grande paixão, os chapéus: "Meu pai sempre usou chapéu e ele foi a minha primeira referência nesse sentido. Lembro de que papai e mamãe sempre compravam fantasias para mim e para meu irmão Zeca brincarmos o carnaval. Lá por 1948, ou 1949, ficamos esperando as fantasias, mas elas não vieram. Já era o sábado de carnaval pela manhã quando meu pai saiu e voltou com duas fantasias de *cowboy*. Eram perfeitas, com colete de franjas, enfeites na calça e botas, mas não tinham chapéus. Já viu *cowboy* sem chapéu? Foi um carnaval sem graça. Lembro disso até hoje".

Um dia, Nei contou essa história a um conhecido, homem de teatro, que concluiu ter sido esse episódio que motivou sua mania por chapéus. "Tenho uma coleção. Quer dizer, coleção não, pois não os acumulo para guardar e exibir. São para usar mesmo. Atualmente são os bonés. Tenho de todas as formas, cores e padrões. E não é apenas por vaidade, para cobrir os cabelos brancos e já ralos. Acho que compõem minha imagem", esclarece.

Mas, voltando ao chamado do samba, Nei só atendeu a ele nos preparativos para o carnaval de 1963, quando Maurício, colega dos tempos da Visconde de Mauá e amigo até os dias atuais, o levou para conhecer a academia do Morro do Salgueiro, no bairro da Tijuca, uma escola de samba com propostas inovadoras. Na época, Maurício era integrante de um grupo que Nei Lopes chama de "uma festiva e aguerrida comunidade negra".

A hora não podia ser melhor. O Salgueiro rompeu todas as barreiras das escolas mais tradicionais, arrasando com o enredo "Chica da Silva". Não deu outra: campeã pela primeira vez. Foi assim que Nei se tornou, como diz, "duplamente acadêmico", no Direito e do Salgueiro.

3.
Dos versos às canções para vender

Curiosamente, o chute inicial para o que se tornaria o jogo da vida de Nei Lopes – a música – surgiu de uma circunstância contraditória. O jovem simpatizante do comunismo, crítico do capitalismo, da sociedade de consumo, resolveu colocar seu talento a serviço do mercado.

Casado e ansiando pelo nascimento do primeiro filho, Neizinho – o que só aconteceu em 1972 –, foi trabalhar no ramo da publicidade: na redação de textos, na produção de desenhos e também na criação de jingles, vinhetas musicais para rádio e TV muito utilizadas também em campanhas políticas.

Geralmente, compositores que brilham na música popular são chamados para criar jingles. Nei, porém, fez um caminho inverso. Foi primeiro jinglista para só depois tornar-se um compositor gravado e conhecido. "Minha chegada à primeira produtora – a primeira a gente nunca esquece – foi absolutamente por acaso, como escrevinhador de textos. Ganhava pouco, mas era divertido, num ambiente extremamente romântico. Até que um dia me perguntaram se eu era capaz de escrever uma letra para uma vinheta musical."

E foi assim que Nei Lopes se redescobriu poeta e também compositor: "Os versos já me frequentavam, e eu a eles, desde os tempos do ginásio. Tempos de muito Bilac, Raimundo Correia, Alberto de Oliveira (Cruz e Souza ainda era complicado), tudo alexandrinamente escandido e acentuado".

E não podia ser diferente, uma vez que palavras, rimas, métricas e ritmos sempre o sensibilizaram, desde a infância: "Versos cantados era o que mais eu ouvia, tanto no meu quintal suburbano, onde era frequente a presença de grandes seresteiros, quanto no terreiro acadêmico do meu amado Salgueiro, cuja ala de poetas mais tarde me recebeu e do qual fiz até parte da velha guarda. Então, o desafio estava vencido, com ampla vantagem, pois a melodia chegou bonito, juntinho com a letra encomendada".

Essa fase da vida profissional de Nei Lopes é pouco conhecida. Ele explica: "Até chegar à Mister Vox, produtora que até os anos 1990 foi dona de parte do meu passe, muito jingle rolou estúdios adentro. Cheguei até a interpretar alguns deles. E mesmo a aparecer na TV, por vários meses seguidos, cantando e sambando as excelências de um supermercado, lugar 'onde o barato faz(ia) ponto'. Um cachezinho muito bem-vindo".

Garante que nunca teve, como outros artistas, vergonha de fazer jingle, que define como "a arte de cantar o consumo". E justifica: "Meu negócio é a palavra. E, pelos carinhos dela, minha cabrocha, eu vou até o Irajá. Que me importa que a mula manque! Por ela, já escrevi e publiquei dezenas de obras! Através dela, com muito carinho e muita honra, tenho escrito letras para grandes músicos".

Em um impresso criado para divulgar o trabalho de Nei Lopes, consta que, desde os anos 1990, ele vem se esforçando pelo rompimento das fronteiras discriminatórias que separam o samba da chamada MPB. Exemplifica apontando suas parcerias com músicos como Guinga, Zé Renato, Fátima Guedes e Ivan Lins, e sua participação no projeto Ouro Negro, em homenagem ao maestro Moacir Santos. Nei criou letras para cinco canções do brilhante e saudoso músico pernambucano, que foram gravadas por Milton Nascimento, Gilberto Gil, João Bosco, Djavan e Ed Motta.

Porém, nem tudo são flores nesse ramo profissional, e Nei garante que manteve seu espírito seletivo e os princípios que sempre nortearam sua vida: "É claro que já me recusei a musicar campanhas racistas e excludentes. Em compensação, também, me emocionei ao falar de um ou dois raríssimos políticos com cujas ideias eu me identificava".

Tal como as questões ideológicas, há também as estéticas e outros limitadores da criação. Sacrifícios nem sempre evitáveis: "No jingle, o que me incomoda é ter de sacrificar uma boa sacada, uma boa rima, a métrica caprichada, o *enjambement* da pesada, por causa do perfil do consumidor ou da autoridade, nem sempre incontestável, dos criadores da campanha. Isso é que incomoda! Como também chateia essa falsa ideia de que samba só serve para cantar cerveja, cachaça, trem suburbano, alisante de cabelo, cigarro mata-rato e produtos de limpeza".

Com o samba lhe correndo nas veias, Nei Lopes entende que esse é um gênero musical que também tem vocação de bom vendedor: "A propaganda brasileira precisa entender que o gênero-mãe da música popular brasileira também frequenta as boas famílias, da Gávea ao Morumbi, do Cosme Velho aos Jardins. E estão aí os Buarque de Hollanda, os Jobim, os Hime, os Vergueiro, os Byington etc., que não me deixam mentir".

E, para aqueles que associam mercado de consumo com olhos azuis, cabelos loiros e demais características eurocêntricas, Nei alerta: "Precisa também perceber que o Brasil está mudando. Que 'esta gente bronzeada' aqui, como exaustivamente demonstrou o mestre José Roberto Whitaker Penteado, já mostra seu valor também na hora do consumo. E que, nos rádios de seus carros e em seus CD *players* e DVDs, ouve-se de tudo. Inclusive samba".

A experiência na área de publicidade e propaganda o ajudou, mais tarde, na produção de programas de rádio e também em televisão. Escreveu e apresentou, entre outros musicais, *Pagode* (Rede Globo, 1987); *Dia nacional do samba* (TV Manchete, 1988); *Presença negra* (TV-E, Rede Brasil, 1995); e *Saravá, tio samba* (TV-E, Rede Brasil, 1996).

SAMBA *VERSUS* INDÚSTRIA CULTURAL

O diploma de Direito foi muito mais fácil de conquistar que o de sambista. Apesar de, no início dos anos 1970, a mente de Nei Lopes viver inundada de versos e melodias e de os parceiros ligarem a qualquer hora. Como há um tempo para cada coisa, aquele era o de transformar sua música em produto no mercado fonográfico, e o *hobby* de compor sambas, em profissão, o que finalmente aconteceu em 1972.

Naquele ano, Nei conseguiu ter seu primeiro samba gravado pela também estreante Alcione. Era o *Figa de Guiné,* uma parceria com o compositor e também jinglista Reginaldo Bessa:

> *Quem me vinga da mandinga*
> *é a figa de Guiné.*
> *Mas o de fé do meu axé*
> *não vou dizer quem é.*

A porteira estava aberta – e, como diz o ditado, "onde passa um boi passa uma boiada". O sucesso do primeiro compacto simples de Alcione lhe rendeu convite para um segundo, em que ela lança mais uma parceria deles, *Tem dendê*:

> *Entretanto ela é o resumo desse sumo, desse molho*
> *Que até num piscar de olho é capaz de endoidecer.*

Já em sua chegada ao mercado fonográfico, Nei deixa claro seu compromisso com a raiz cultural de seu povo, fosse pela fé, fosse pelos costumes. E a Bahia era, sem dúvida, uma grande fonte de inspiração. Afinal, nesse estado a força da cultura negra é inquestionável. Apesar de sua folclorização, ela se traduz no cotidiano de uma grande maioria que cultua o candomblé e demais costumes oriundos dos diversos grupos africanos que para lá foram traficados.

Aquele ano de 1972 não poderia ser melhor: além do nascimento de seu filho Neizinho, pôde ouvir, no rádio, a primeira gravação de uma de suas criações e teve a oportunidade de realizar sua primeira viagem internacional. Não,

não foi a Paris ou Nova York, nem tocar samba no Japão. Foi a um país da costa oeste africana chamado Senegal, um celeiro de mistério negro e com forte presença islâmica. A mesma que gerou a Revolta dos Malês, na Bahia, de 25 a 27 de janeiro de 1835.

Como bom malandro carioca, Nei conta essa viagem de maneira bastante peculiar:

> Eu, que só tinha saído de casa para ir a São Paulo duas vezes, fui parar em Dacar, no Senegal. A "patroa" era funcionária do MEC e foi convidada a viajar, numa daquelas jogadas do Itamaraty, pra mostrar que no Brasil também tinha preto. O casamento estava em crise, mas ela me convidou e eu fui junto, por minha conta, com um bilhete comprado a crédito na Swissair, tendo como fiador meu primeiro parceiro, Reginaldo Bessa, que era dono de uma produtora de jingles.
>
> Chegando lá, aconteceu o melhor: a "patroa" ia trabalhar e eu ficava batendo perna, tomando *bierre-pression* (chope), num café estilo parisiense, na Avenida William Ponty, gastando meus caraminguás em discos e livros. Numa dessas, fui convidado para dar uma entrevista na Rádio Senegal. Eu estava recém-iniciando a carreira de compositor, mas já tinha publicado alguns poemas em jornais e revistas, inclusive na célebre *Revista Civilização Brasileira*, de esquerda, no ano do AI-5, pelas mãos de Cavalcanti Proença e Moacyr Félix.
>
> Aí, rabisquei uma breve tradução para o francês de alguns poemas e parti pra lá. Só que, mostrando os tex-

tos pro poeta antilhano Jean-François Brierre, ele notou que, num deles, eu traduzira "perna" como "jambon" em vez de "jambe". E "jambon", em francês, quer dizer "presunto". Mas foi ótimo. Na rua, eu falava legal, com todo mundo.

Fiz um turismo bacana. Satisfiz o Itamaraty da Ditadura posando de "crioulo brasileiro" nos retratos, de paletó e gravata. Comi churrasco de carneiro à moda árabe. Dancei com umas senhoras senegalesas bem interessantes. Uma até se gabava de conhecer o Brasil, por ter ido a Santa Catarina. Conheci um *griot* de verdade, um velho imponente chamado Dembo Kanoute. E trouxe presentes pros amigos. Quanto ao casamento, sobreviveu ainda, aos trancos e barrancos, por uns oito ou nove anos.

Dizem que o amor ausente, ou em crise, inspira mais que o amor presente e feliz. Muito dessa crise andava ocupando os versos de Nei naquele momento. Mas versar apenas já não lhe bastava. Era preciso transformá-los em sambas. Dois anos após aquela viagem, Nei foi apresentado, por Délcio Carvalho, a um compositor que ele admirava a distância: Wilson Moreira. "Foi numa época em que eu estava a fim de jongo, calango, essas coisas da roça, nas quais o Wilson é mestre", revela.

Compositor nascido no bairro de Realengo, músico e ritmista do primeiro time, oriundo da famosa bateria da Mocidade Independente de Padre Miguel, Wilson Moreira integrava a ala de compositores da Portela desde 1968 e compunha desde a década de 1950, tendo estreado em disco na voz de Leny Andrade, com *Antes assim*.

Foi Wilson quem aproximou Nei do jongo, e ambos perceberam que, mesmo cantando sentimentos universais, coisas do coração – "pois sambista não é de ferro", brinca Nei –, deviam também produzir sambas com um conteúdo que ajudasse a refletir sobre a história e a cultura afro-brasileiras, afinal "é mais universal aquele que procura cantar melhor a sua aldeia".

Dos encontros desses parceiros nasceram criações como *Gostoso veneno, Coisa da antiga, Senhora liberdade, Goiabada cascão.* Cantores como Alcione, Clara Nunes, Beth Carvalho, Roberto Ribeiro e Zezé Motta descobriram que incluir uma composição dessa dupla em seus discos era garantia de sucesso.

Entre os bambas que Nei conheceu nos anos 1970 estava um compositor da Portela chamado Antonio Candeia Filho, que, descontente com os rumos tomados por sua escola, em 1975 criou o Grêmio Recreativo de Arte Negra e Escola de Samba Quilombo. Wilson Moreira está entre os fundadores dessa novidade em escola de samba. Nei chegou depois, mas compôs sambas antológicos com seu parceiro. Um deles foi *Ao povo em forma de arte*, para o desfile de 1978, inspirado no poeta negro Solano Trindade, cuja carnavalesca foi a própria filha de Solano, Raquel Trindade, a "Kambinda". No ano seguinte, a dupla também compôs o samba-enredo da Quilombo, que relembrava os 90 anos de Abolição.

Apesar dessas incursões como compositor, a participação efetiva de Nei na Quilombo se deu efetivamente depois da morte de Candeia, em 1978, quando Paulinho da Viola e outros artistas já haviam se afastado. "Aí, sob a liderança do Rubem Confete, nós fundamos uma tremenda ala de compositores. E nessa, além de fazermos muito samba com os já falecidos Jor-

Oswaldo Faustino

ginho Peçanha e Luiz Carlos da Vila, e também com Zé Luiz do Império e outros, nos envolvemos até em projetos sociais na Favela de Acari. Além de tomar cerveja e comer o mocotó do Tião, é claro."[15]

Hoje, Nei já não vê as escolas de samba como uma instância legítima para discutir questões relacionadas com o negro. "O carnavalesco é, por natureza, um fantasista, e está sempre mais a fim de efeitos cênicos. Quanto mais sensacionalismo e mais possibilidades de criar coisas fantásticas, melhor para ele trabalhar. É raro encontrar um enredo com uma proposta política. Dos poucos efetivamente políticos que conheço, os mais sérios foram de Vila Isabel: *Quizomba, festa da raça*, que deu à Vila o título de campeã em 1988, e *Direito é direito*, que lhe rendeu o quarto lugar em 1989."

Em se tratando então de temas como a escravidão, Nei aponta equívocos, como no desfile da Beija-Flor – que, em 2007, cantou *Áfricas: do berço real à corte brasiliana*. De forma maniqueísta – o Bem africano contra o Mal europeu –, o continente africano foi apontado como uma coisa maravilhosa. "Mas a gente sabe que houve uma parcela grande de culpa dos próprios africanos na questão da escravização. Por outro lado, hoje os racistas se calcam na tônica de culpar exclusivamente os africanos pela tragédia da escravidão. Ou seja, nem tanto ao mar nem tanto à terra. Mas não dá para dizer que a África foi uma maravilha, que todos os governantes africanos

---

15. Entrevista ao jornalista carioca Kadu Machado, publicada na internet em novembro de 2007.

foram heroicos"[16], comenta Nei, oferecendo mais um tema para reflexão.

Num de seus livros, *Partido alto: samba de bamba* (Rio de Janeiro: Pallas, 2005), Nei Lopes denuncia o que chama de "desafricanização" do samba. Enquanto a intelectualidade, em geral, só encontra traços africanos no samba rural, ele argumenta: "O samba que a gente conhece hoje é um produto urbanizado e, naturalmente, já é fruto de várias outras influências, inclusive da própria musicalidade europeia. Mas houve uma resposta a isso, uma retomada do caminho africano, não só no samba como em outras vertentes da música. E a indústria cultural, pela sua própria composição, pelo fato de ser dirigida de fora para dentro, não permite que isso ocorra. Por exemplo, há uma vertente de meu trabalho que é muito voltada para a denúncia do racismo e para a explicação de certos fatos históricos, mas raramente consigo gravar esse tipo de música"[17].

Nessa mesma linha de análise, Nei Lopes define o samba como "a identidade brasileira no seu sentido mais forte". Ele comenta que, sempre que o Brasil quer se mostrar ao exterior, "bota o samba de cara, porque é o que o identifica logo. Mas na cabeça dessa produção cultural que está aí, 'o samba é velho', 'juventude não gosta de samba', 'esse tipo de música tem sua história ligada ao gueto' etc. Ou seja, o samba é preto, velho e pobre. E eles pensam que não pode ser assim, então

---

16. Entrevista publicada na *Revista E*, n. 122, jul. 2007.
17. Idem. Aqui, Nei se refere a gravações com intérpretes das grandes companhias multinacionais.

querem pintá-lo de branco. Mas não se pode fugir da questão da identidade, o samba é o traço mais marcante da identidade brasileira".

Na defesa dessa identidade, Nei é intransigente e considera o estilo musical mercadologicamente rotulado como pagode "uma mutação do samba, que resultou em sua descaracterização". Na mesma entrevista, ele afirma: "O chamado neopagode, ou pagode brega, é realmente uma agressão da parte das gravadoras. Algo como 'vamos enquadrar o samba dentro do pop'. Um dia, eu estava vendo televisão, quando apareceu um grupo desses que chamam de pagode cantando em playback, com aquele passinho e tudo mais. Terminou a apresentação e logo em seguida entrou uma banda de rock. Era a mesma coisa! A música era a mesma, só modificaram a levada. Isso ficou claro para mim, houve uma interferência das gravadoras no sentido de levar o samba para esse 'esqueminha', e isso é uma completa descaracterização".

Sambista, estudioso da matéria e, mais que tudo, observador permanente dos processos e personagens do mundo do samba, Nei garante: "O samba tem vitalidade, uma capacidade de dar a volta por cima. A todo momento estão surgindo formas novas. Observo que as gravadoras estão sempre tentando renovar o samba, aí tentam fazer fusões, misturam com hip-hop. Mas aí surgiu o Leandro Sapucahy, que tinha um passado dentro do samba e fazia samba até com uma pitada de hip-hop, mas que não deixava de ser samba. A própria instrumentação que ele usava na apresentação não deixava de ser samba, tinha violão de sete cordas, cavaquinho, mas tinha um momento lá que ele mandava um rap".

NEI LOPES

Nei Lopes não é daqueles artistas que, hipocritamente, lamentam que a música não lhes tenha garantido uma sobrevivência digna. "A década de 1980 foi boa do ponto de vista financeiro, pois, embora freelance, fiz muitos jingles, gravei sambas de sucesso e me ambientei na minha sociedade autoral, a Associação de Músicos Arranjadores e Regentes – Sociedade Musical Brasileira (Amar-Sombrás). Mas aí veio a dolorosa década de 1990, a do Collor." A expressão facial ao mencionar o nome do ex-presidente da República assemelha-se à de alguém que citasse o furacão Katrina, que, em 2005, devastou importantes cidades dos Estados Unidos, como Nova Orleans.

4.
Na dor extrema, a reviravolta

Perder um filho tragicamente é de enlouquecer. Ninguém que não tenha vivenciado esse drama pode, nem de perto, imaginar o tamanho da dor. Desequilibra-se, perde-se o norte, faltam o ar, a voz, a razão. *"...Oh, metade amputada de mim / Leva o que há de ti / Que a saudade dói latejada / É assim como uma fisgada / No membro que já perdi"*, canta Chico Buarque, em *Pedaço de mim*, uma canção que descreve exatamente esse tipo de dor.

Pois Nei Lopes a experimentou quando morreu seu filho caçula, Maurício, o Brício, de apenas 4 anos. Dolorosamente, ele narra o ocorrido:

> No final de julho de 1981, no dia seguinte ao seu quarto aniversário, Brício foi conosco passar uns dias na casa de praia dos pais de Helena, em Maricá. De manhã cedo, saí com ele e Neizinho, então com 10 anos, para dar um passeio na praia. Não tínhamos intenção de entrar na água, tanto

que Brício foi de tênis (ou botinha) e meias. Mas tanto ele insistiu que eu deixei que desse uma entradinha, tirando antes o calçado. Numa fração de segundos, veio uma onda forte e o derrubou. Quando tentei pegá-lo, veio outra e arrancou meus óculos. Aí, foi o desespero, meu e do Neizinho, talvez a maior vítima disso tudo. Minutos depois, uns pescadores conseguiram, com muita dificuldade – eu não vi, mas me contaram –, nadar até ele e resgatá-lo. No carro do avô, foram até o hospital, mas o irremediável já tinha acontecido.

Em situações de grandes choques e traumas, as pessoas procuram derivativos, fugas. Nei poderia entregar-se à bebida, às drogas, ao desencanto pela vida, à depressão, mas preferiu recolher-se e entregar-se a um "vício" que já o acompanhava desde a infância: os livros.

"Felizmente, a minha fuga se deu com a obsessão pela leitura. Comecei a ler de maneira compulsiva, comprava muitos livros, fazia anotações e fichas. Depois de um tempo, já estava escrevendo outro livro. Com o tempo, fui me organizando, tinha uma biblioteca pequena e comecei a frequentar muitos sebos. Comprei muita coisa, inclusive alguns livros raros. Tenho obsessão por dicionários, então comecei também a fazer dicionários", revelou em entrevista à revista eletrônica do Sesc, em julho de 2007.

Simultaneamente, sua crise matrimonial se potencializou: "Quando nos acometem tragédias como essa, se o casal está bem, se une ainda mais, se apoia. Mas, se o casamento já anda capenga, aí não há o que segure", comenta. Separado e afastado da boemia, resolveu enclausurar-se.

Dizem que "quem tem padrinho não morre pagão", e Nei Lopes tinha um amigo verdadeiro que poderia ser seu padrinho: Luiz Carlos Baptista, o Luiz Carlos da Vila, que Nei apelidou de "Luiz Carlos das Vilas" (Vila Kennedy, Vila Isabel, Vila da Penha), falecido em outubro de 2008. Foi ele quem não permitiu que o "afilhado" se afastasse da ala de compositores da Quilombo, que tinha um grupo tão forte quanto unido, "a ponto de irmos às festas vestidos igual, como antigamente", lembra Nei. Além dos dois, faziam parte desse grupo Zé Luiz do Império, Rubem Confete, Filipão e Wilson Moreira. "Este, apesar de parceirão, não saía muito com a gente, porque não bebia."

Nos primeiros anos da década de 1980, em parceria com Luiz Carlos da Vila e Zé Luiz do Império, atual vice-presidente administrativo e de finanças da escola de samba Império Serrano, Nei fez um samba para a Quilombo, para o enredo "Solano Trindade, poeta negro", que considera "irretocável" – e Luiz Carlos da Vila gravou em 2004:

Quilombo vem, com a singeleza de um maracatu,
cheiroso como um lote de caju,
delicioso feito um mungunzá.

Vem exaltar, render tributo ao quilombola pioneiro,
gênio do pensamento afro-brasileiro,
filho dileto de Oxalá

Que fez soar,
no tambor dos oprimidos,

esses valores esquecidos:
negritude, liberdade.

Poeta negro, pintor das negras aquarelas,
cantor de páginas tão belas.
A bênção Solano Trindade.

Mas a direção da escola entendeu que, pelo fato de serem todos profissionais, com discos gravados e carreiras consolidadas, não era interessante dar a vitória ao samba deles, pois isso desprestigiaria os compositores da comunidade. "Por tudo que já havia me ocorrido, eu andava desgostoso, azedo. Era uma fase brava. E eu resolvi cair fora de escola de samba."

O "padrinho", porém, tinha uma namorada no bairro do Santo Cristo, no simpático Morro do Pinto. Ela era dirigente de um bloco local e havia preparado uma festa pela vitória do samba do trio. Apesar de derrotados, Luiz Carlos insistiu que fossem comemorar. E foi nessa comemoração que aconteceu o encontro que mudou o rumo da vida de Nei Lopes.

"O interessante é consignar que esse encontro foi mágico, tramado lá em cima", comenta o compositor, explicando como foi que conheceu sua segunda mulher, Sonia Regina, com quem se casou em 1996. Pede, então, a ela que explique.

Eu também era dirigente do Bloco Independentes do Morro do Pinto e muita amiga de Rosângela, hoje já falecida, como o Luiz Carlos da Vila, que perdemos no ano passado. Aí, preparamos a festa para comemorar a vitó-

Oswaldo Faustino

ria do samba dele na Quilombo. Ele perdeu, mas mesmo assim foram comemorar. Chegaram Martinho da Vila e Luiz Carlos, que frequentavam nossas rodas de samba, e me apresentaram Nei Lopes, que eu só conhecia através de seu primeiro LP com Wilson Moreira.

Na época, tinha um programa de rádio, bem cedinho, em que o locutor dava "bom-dia" e colocava para tocar o pot-pourri de nove minutos daquele LP que tem *Coisa da antiga*, *Goiabada cascão* e outras. E meu radiorrelógio ligava exatamente nesse horário. Ao ser apresentada, estendi minha mão a Nei e disse inocentemente: "Você que é Nei Lopes? Que bom! Sabe que você me acorda todo dia?" Foi a conta. Malandro vivido, ele já entabulou uma conversa, trocamos telefones e descobrimos afinidades.

Aí Martinho cantou, Luiz Carlos da Vila cantou e, quando Nei começou a cantar, parei na frente do palco embasbacada. Minha amiga Rosângela me perguntou o que estava acontecendo e eu simplesmente respondi: "Esse homem um dia vai ser meu marido". Nós nos reencontramos depois de algum tempo e nunca mais nos separamos.

Neizinho, que conheci com 10 anos, está com 36 e me tem como segunda mãe. É meu compadre. Deu-me a filha, Larissa, para batizar. Ela e o irmão, que também é Nei, me chamam de Vovó Soninha.

Em sua versão para o mesmo fato, Nei conta que achou interessante encontrar ali no morro uma mulher formada em Letras, professora de francês e interessada em poetas africanos de expressão francesa, como Aimé Césaire, Léopold Sédar

Senghor e David Diop, entre outros que ele procurou conhecer melhor após sua viagem ao Senegal.

Sintonia imediata, Nei sentiu que viria dela a energia que o ajudaria tanto a superar seus difíceis momentos quanto a organizar suas reflexões sobre o samba e a negritude – ou qualquer tema pelo qual se interessasse.

DO SAMBA À LITERATURA

Um pouco antes do trágico e decisivo momento que marcou a vida do sambista, também os astros e os orixás conspiraram promovendo outros estímulos que ajudaram a fazer nascer o Nei Lopes escritor. Um deles foi seu relacionamento com um grupo de pessoas ligadas a religiões de matriz africana, como o professor doutor Muniz Sodré, hoje diretor da Biblioteca Nacional.

O pessoal que editava a revista *Vozes* estava preparando uma edição especial sobre a cultura negra e foi pedido a Nei Lopes que escrevesse um artigo sobre escolas de samba. Aceitando o convite, redigiu um texto que apontava a priorização do espetáculo em detrimento da ligação com as raízes comunitárias. "Só que a escola de samba nasceu para legitimar suas comunidades." No artigo, fez uma prospecção sobre o que poderia acontecer – exatamente o que ocorre nos dias atuais.

Muniz Sodré, então, o estimulou a aumentar o texto e produzir um livrinho de pouco mais de cem páginas, tendo como base e referência aquele artigo. Assim nasceu *O samba, na realidade... – A utopia da ascensão social do sambista* (Rio de Janeiro: Codecri, 1981), a largada para uma produção literária de fôlego que promete não se esgotar nem em curto nem em médio prazo.

Pelo prazer dos estudos linguísticos, um dia Nei Lopes decidiu que organizaria um dicionário com os vocábulos de origem banto usados na fala brasileira. "Meu objetivo era defender a prevalência das línguas desse grupo no léxico brasileiro", explica.

Coincidentemente, a convite de Martinho da Vila, viajou a Angola, onde se apresentou nas cidades de Luanda, Benguela, Lobito e Lubango, nas comemorações do "Festival do Trabalhador", em 1987. Lá, encontrou farto material para enriquecer ainda mais sua pesquisa para a produção do *Dicionário banto do Brasil*, lançado em 1996 pela Prefeitura da Cidade do Rio de Janeiro e reeditado com o título de *Novo dicionário banto do Brasil* em 2003.

Vejamos, a seguir, um quadro com suas principais publicações, que vão de livros a artigos, sem contar os encartes e as apresentações de discos de artistas comprometidos com o que há de mais autêntico na cultura afro-brasileira:

O samba, na realidade... – A utopia da ascensão social do sambista (Rio de Janeiro: Codecri, 1981)

Islamismo e negritude – em parceria com João Baptista M. Vargens (Rio de Janeiro: Centro de Estudos Árabes, Faculdade de Letras, UFRJ, 1982)

Egungun, ancestralidade africana no Brasil – em parceria com Juana Elbein dos Santos – publicado como encarte do LP de mesmo nome (Salvador: Secneb, 1982)

"Pagode, o samba guerrilheiro do Rio", in *Notas musicais cariocas*, organizado por J. B. M. Vargens (Petrópolis: Vozes, 1986)

Casos crioulos (Rio de Janeiro: CCL, 1987)

Bantos, malês e identidade negra (Rio: Forense-Universitária, 1988)

"Música popular, repressão e resistência – Uma cronologia", in *Cativeiro & liberdade* (Rio de Janeiro: IFCH-Uerj, 1989)

O negro no Rio de Janeiro e sua tradição musical (Rio de Janeiro: Pallas, 1992)

"Afro-Brazilian music and identity", in *Conexões* (Michigan State University/African Diaspora Research Project, v. 5, n. 1, abr. 1993)

"Onomástica Palmarina", in *Carta*, n. 13 (Brasília: Gabinete do Senador Darcy Ribeiro, 1994)

Incursões sobre a pele – Poemas (Rio de Janeiro: Artium, 1996)

Dicionário banto do Brasil (Prefeitura da Cidade do Rio de Janeiro, 1996); *Novo dicionário banto do Brasil* (Rio de Janeiro: Pallas, 2003)

Rebouças, Teodoro e Juliano (Rio de Janeiro: Revista do Patrimônio Histórico e Artístico Nacional, 1997)

As línguas dos povos bantos e o português do Brasil (Rio de Janeiro: Revista do Patrimônio Histórico e Artístico Nacional, 1997)

Uma breve história do samba – publicado como encarte da coletânea de CDs *Apoteose ao samba* (Rio de Janeiro: EMI, 1997)

171, Lapa-Irajá: casos e enredos do samba (Rio de Janeiro: Folha Seca, 1999)

Logun-Edé: santo menino que velho respeita (Rio de Janeiro: Pallas, 1999)

Zé Kéti, o samba sem senhor (Rio de Janeiro: Relume Dumará, 1999)

"A encantadora música do Rio", in *Guia amoroso do Rio* – pequeno esboço histórico e estético do samba do choro e da bossa-nova (Rio de Janeiro: Riotur, 2000)

"Salve lindo pandeiro, salve, salve!", in *Para entender o Brasil* – organizado por Luiz Antonio Aguiar e Marisa Sobral, o livro traz um artigo de Nei sobre a importância da tradição musical negra, principalmente do samba, na música popular brasileira (São Paulo: Alegro, 2001, p. 255-63)

"Rio, Zona Norte. Dá até samba!", in *Zona Norte: território da alma carioca*, organizado por Lúcia Rito – artigo sobre a música no subúrbio carioca (Rio de Janeiro: Norteshopping, 2001)

Guimbaustrilho e outros mistérios suburbanos (Rio de Janeiro: Dantes, 2001)

Sambeabá, o samba que não se aprende na escola (Rio de Janeiro: Folha Seca/Casa da Palavra, 2003)

Enciclopédia brasileira da diáspora africana (São Paulo: Selo Negro, 2004)

Partido-alto, samba de bamba (Rio de Janeiro: Pallas, 2005)

Xangô da Mangueira: recordações de um velho batuqueiro – texto histórico contextualizador da autobiografia (Rio de Janeiro: Cooperativa de Artistas Autônomos, 2005)

Kitábu, o livro do saber e do espírito negro-africanos (Rio de Janeiro: Senac, 2005)

Bantos, malês e identidade negra (Rio de Janeiro: Autêntica, 2006)

20 contos e uns trocados (Rio de Janeiro: Record, 2006)

Dicionário escolar afro-brasileiro (São Paulo: Selo Negro, 2006)

Histórias do Tio Jimbo (Belo Horizonte: Mazza, 2007)

O racismo explicado aos meus filhos (Rio de Janeiro: Agir, 2007)

Dicionário literário afro-brasileiro (Rio de Janeiro: Pallas, 2007)

Kofi e o menino de fogo (Rio de Janeiro: Pallas, 2008)

"Partido-alto: a receita do samba integral", in *Na ponta do verso: poesia de improviso no Brasil* (Rio de Janeiro: Associação Cultural Caburé, 2008)

História e cultura africana e afro-brasileira (São Paulo: Barsa Planeta, 2008)

"Carnaval", in *100 palavras para conhecer melhor o Brasil* – edição bilíngue: português/japonês, organizada por Arnaldo Niskier (Rio de Janeiro: Instituto Antares, 2008)

No prelo, entre outras obras, está o *Dicionário da antiguidade africana* (Rio de Janeiro: Civilização Brasileira), com mapas e gráficos. Esse dicionário, assim como os anteriores, faz parte de um projeto do autor cujo objetivo é divulgar as ideias do afrocentrismo. Mesmo não sendo historiador, ele preparou essa obra focada nas civilizações antigas, "desde as florescidas no contexto Egito-Núbia-Etiópia-Chade até as falantes do protobanto[18]. Estou cansado dessa história de estudar a África só a partir da escravidão. Chega de sofrimento!", desabafa Nei Lopes.

Na já mencionada entrevista ao jornalista Kadu Machado, Nei explicou o processo de elaboração da primeira enciclopédia específica sobre as culturas africanas atingidas pelo escravismo europeu, afro-americanas e afro-brasileiras: "Sou ob-

---

18. Anteriores à expansão, há quase dois mil anos, do grupo linguístico banto (ou bantu), predominante sobretudo em países africanos ao sul da linha do Equador, numa faixa que vai da costa Atlântica até a costa oposta, onde chega ao sul do continente. São mais de seiscentas línguas faladas por cerca de trezentos milhões de pessoas.

Oswaldo Faustino

cecado por dicionários. Os de línguas africanas, por exemplo, tenho aos montes. Encomendava-os para amigos que viajavam e fui construindo meu acervo pessoal, também com recortes de jornais. Durante um bom tempo, fui acumulando esse acervo que redundou, em 2004, em um calhamaço e se tornou a *Enciclopédia brasileira da diáspora africana*, publicada pela Selo Negro Edições".

São aproximadamente 9 mil verbetes, entre eles biografias e outras informações multidisciplinares, vistas da óptica brasileira. Um inventário inesgotável, cujo banco de dados o autor continua alimentando e corrigindo com novas informações. Uma edição revista, atualizada e ampliada deverá ser lançada em breve, e o banco de dados serve, inclusive, para fornecer material que enriquece ainda mais sua produção literária de ficção e sua criação musical.

Além da enciclopédia, de dicionários e de ensaios, há que se destacar também as produções que revelam o bom humor e o espírito brincalhão de Nei Lopes, como *Casos crioulos*, uma série de contos divertidos, ambientados no universo do samba. E também há seus contos trágicos nascidos de fatos vividos, vistos ou ouvidos nos morros e nas escolas de samba que frequentou, relatados em *20 contos e uns trocados*. Essa obra foi finalista do Prêmio Portugal Telecom, edição de 2006, na categoria Conto Brasileiro.

O Nei poeta e produtor de ensaios e reflexões sobre questões etnorraciais, com viés tanto sociológico quanto antropológico e histórico, recebeu de sua mulher, Sonia, um novo estímulo para sua incursão numa linguagem literária que ainda não havia experimentado: "Não descanso enquanto você não escrever um romance". Ele já havia pensado no assunto, mas talvez faltasse essa motivação. Foi pensando nisso que escreveu o romance histórico *Mandingas da "Mulata Velha" na cidade nova*, ambientado na Praça Onze, da Tia Ciata[19], que será lançado em breve.

Empolgado com a fluência desse trabalho, pensou a rapsódia *Oiobomé, O' Mezamu!*, desenvolvida a partir do século XVIII, cujo personagem central é um ex-escravo chamado "Dos Santos", nascido no Daomé. A amizade com o alferes Joaquim José da Silva Xavier e a participação em algumas reuniões de inconfidentes o fazem fugir para a Amazônia, onde sonha fundar um país só de negros e índios. Ajuda quilombolas locais e das Guianas, conhece Simon Bolívar e cria o país mais moderno e desenvolvido das Américas, cujo nome é Oiobomé, em homenagem a dois antigos núcleos civilizatórios africanos, Oió e Abomé. A dinastia de Dos Santos chega aos dias atuais com desenvolvimento e modernidade. O país tem o maior IDH da América do Sul, sem analfabetos, e é governado por uma mulher.

Um terceiro romance, provisoriamente intitulado *Os genes*, encontra-se em fase de reelaboração e ainda não foi negociado

---

19. Hilária Batista de Almeida (1854-1924), a Tia Ciata, nasceu em Salvador, na Bahia. Cozinheira e mãe de santo, filha de Oxum, viveu no Rio de Janeiro e teve catorze filhos. No início do século XX, reuniam-se em sua casa – na Praça Onze de Junho, conhecida como Pequena África – para fazer sambas e chorinhos compositores notórios como Donga, Sinhô, João da Baiana e Pixinguinha. Em sua homenagem e a outras "tias", como Bebiana, Preseiliana de Santo Amaro (mãe de João da Baiana), Veridiana e Josefa Rica, foram criadas as alas de baianas das primeiras escolas de samba, hoje uma tradição.

com nenhuma editora. O tema dessa obra é a anemia falciforme, doença comum entre afrodescendentes, mas também em algumas populações asiáticas e mediterrâneas. Na obra, Nei detonará posturas racistas de uma família de origem europeia, por desconhecer sua ascendência africana remota. O que inspirou o novo romance foi o fato de um neto de Nei ser portador dessa doença, até agora incurável.

Na sanha de escrever sempre mais e mais, Nei produz constantemente artigos para a seção Opinião do jornal *O Globo* e para várias publicações, especialmente sobre temas ligados a cultura popular brasileira, história africana, relações etnorraciais e afrobrasilidade, além de manter um blog na internet intitulado Meu Lote (www.neilopes.blogger.com.br).

A dedicação à música e à literatura, porém, não conseguiu apagar a antiga paixão de Nei Lopes pelo teatro, nascida ainda nos tempos do Grêmio Pau-Ferro. Claro que os espetáculos criados por sua inventividade são todos musicais e partem das mesmas motivações que geraram seus livros. Em 1989, utilizando a linguagem do teatro de revista, montou *Oh, que delícia de negras!* – criada em parceria com o músico Cláudio Jorge –, que fez temporada no Teatro Rival. Dez anos depois, foi *Clementina*, no Centro Cultural José Bonifácio, onde, também em 2000, com o elenco de alunos daquele centro cultural, apresentou *O rancho da sereia (Dona Gamboa, saúde)*. No ano seguinte, o ator Antônio Pompeo interpretou, no Teatro Municipal de Cabo Frio, o monólogo *À meia-noite todos são pardos*, de Nei Lopes.

5.
O Nei da Vila de Noel

Em 1982, quando conheceu Sonia, Nei Lopes foi viver em Vila Isabel, bairro de classe média na Zona Norte do Rio de Janeiro. Criada pelo empresário progressista João Batista Viana Drummond, o ardoroso abolicionista Barão de Drummond, suas ruas e praças são originalmente relacionadas com datas e personagens ligados a essa causa. Com o tempo, a Vila também passou a ser associada à música popular brasileira, graças a compositores boêmios que lá nasceram ou residiram, como Noel Rosa, Orestes Barbosa, João de Barro (o Braguinha), Almirante e, já nos anos 1960, Martinho da Vila, entre outros.

Sete anos depois, o coração alvirrubro de Nei Lopes, agora machucado por uma chateação no Salgueiro, passou a pulsar também ao ritmo da bateria da escola de samba do bairro, a Unidos de Vila Isabel. A agremiação, que veste as cores azul e branco, foi fundada em 1946 por "Seu China" (Antônio Fernandes da Silveira), também oriundo do Salgueiro.

Desde a década de 1970, fazia parte da ala de compositores daquela escola o amigo Luiz Carlos da Vila, ex-Cacique de Ramos e responsável pela aproximação de Nei e Sonia, o "padrinho" do casal.

O bom senso e as boas amizades convenceram Nei de que estava na hora de trocar de camisa. Entretanto, já mais dedicado ao universo literário, na Vila, mesmo sem querer abafar ninguém, ele vai mais longe: pesquisa e cria os enredos para os carnavais de 1991, *Luiz Peixoto e tome polca*, e de 1992, *A Vila vê o ovo e põe às claras*. Os resultados foram, respectivamente, 11º e 12º lugares.

Os resultados na classificação refletem muito mais a crise que a escola de samba estava vivendo naquele momento do que a qualidade dos enredos. Homenagear o letrista, teatrólogo (mestre do teatro de revista), poeta, pintor, caricaturista e escultor Luiz Peixoto, nascido em 1889 e morto em 1973, foi uma forma de lançar luz ao próprio espelho.

Há em Nei Lopes muito de Peixoto, autor de crônicas poéticas como *Precisa-se de uma ama-de-leite*:

> *A senhora do Pafúncio*
> *Segismundo do Quental*
> *Tertuliano da Gama,*
> *negociante em azeite,*
> *pôs um anúncio no jornal,*
> *pedindo uma ama-de-leite*
> *[...]*
> *Pois está muito bem, é, a senhora fica.*
> *Fica, mas eu lhe aviso, desde agora,*

que eu, minha mulher, meus sogros, minha nora
e ainda o pessoal de fora
passaremos, então,
a mamar na senhora.

São também desse autor o antológico samba-canção *Ai, ioiô* (parceria com Henrique Vogeler) e outros clássicos da MPB, como *Casa de caboclo* (com Heckel Tavares) e *Na batucada da vida*, que escreveu com Ary Barroso, com quem também produziu versos do quilate de:

Maria,
O teu nome principia
Na palma de minha mão
E cabe bem direitinho
Dentro de meu coração.

Para Nei Lopes, o Brasil tem uma incomensurável dívida de reconhecimento tanto com Luiz Peixoto quanto com a origem africana da cultura americana. Por isso, no ano seguinte produziu o enredo *A Vila vê o ovo e põe às claras,* em que, baseado no livro de Ivan Sertima, revela a presença de africanos no continente americano pré-colombiano. Um continente visto como galinha dos ovos de ouro e, como no conto de Esopo, devastado pela ambição europeia. E o samba-enredo, feito por compositores da escola, termina com os versos:

Erês, curumins,
Quilombolas

A Vila vê o ovo e põe às claras
Verdade não contada na escola.

Para os que encaram a escola de samba apenas pelo aspecto competitivo das disputas carnavalescas, Nei Lopes não é um "pé quente ganhador de carnavais". Mas para quem a vê como um veículo de recontar a história, valorizar a comunidade e produzir alegria, difundindo e estimulando a reflexão sobre temas não comuns aos bancos escolares e à academia, ele se tornou referência. É uma grande fonte de consulta para todos os que pretendem montar algum enredo sobre negros no Brasil ou temas relacionados com a Diáspora Africana.

Nei recorda como foi sua estreia na Acadêmicos do Salgueiro, ainda nos anos 1960: "Saí numa formação de passo marcado, ensaiada por dona Mercedes Baptista, cantando *Chica da Silva*. Repetimos a dose, no ano seguinte, em *Chico Rei*". Segundo ele, foi o espírito de africanidade o que mais o atraiu para aquela escola de samba.

Se a Portela, em 1952, representou para Nei um primeiro chamado, o Salgueiro, em 1956, despertou-lhe o fascínio, pela proposta de negritude, que o pegou em cheio e o levou à avenida em 1963. "Já trabalhando e podendo pagar fantasia, saí até 1965, no carnaval do IV Centenário do Rio. Meu elaborado traje do século XVIII – com casaca, calções, colete, rendas, laçarotes, cabeleira branca e tudo mais a que tinha direito – foi carinhosa e gratuitamente confeccionado por minha irmã Namir, costureira de mão cheia. Além do meu, ela ainda fez o do Olavo, um malandro de Bonsucesso que era meu colega na bacana Ala dos Significantes, que depois ganhou status como Embaixadores de Ébano."

Após aquele carnaval, Nei Lopes afastou-se do desfile, mas não do Salgueiro:

> Dei um tempo, voltando na década seguinte, quando entrei para a Ala dos Compositores. A relação com a avenida era bastante conflituosa. Parei de novo para voltar em 1983, já na Velha Guarda, com a qual, inclusive, saí na comissão de frente duas vezes.

> Não digo que desfilei no Salgueiro, pois o jornalista Waldinar Ranulpho dizia: "Quem desfila é soldado". Então digo que saí, brinquei, sambei, enfim, mergulhei no espírito de negritude daquela escola, que fez meu coração explodir de alegria ao vê-la rodar o tambor na Sapucaí, no carnaval em 2009, e se sagrar campeã.

Em 1989, quando o Salgueiro preparava o enredo *Sou amigo do Rei*, com o qual desfilou em 1990, Nei resolveu disputar com um samba-enredo: "Aí, a incompatibilidade com os mandachuvas da escola chegou ao limite. Eu não era 'amigo do Rei'. Fui, então, para a Vila Isabel, ser dirigente no Departamento Cultural. Escrevi para a escola os temas de 1991 e 1992 e ainda dei uns palpites no de 1993. Mas o saco já estava cheio. E fui saindo de fininho".

Antes de deixar a Vila, ajudou a desenvolver o enredo ao qual deu o título: *Muito prazer, Isabel de Bragança e Drummond Rosa da Silva! Mas pode me chamar de Vila*, para o carnaval de 1994, que deu à escola o nono lugar. "Quando as escolas de samba deixaram de ser expressão de arte negra, aí não me interessaram mais", explica Nei.

Ele lembra que a Vila Isabel fez história, em 1988, conquistando o primeiro lugar com um enredo que não poderia ser mais negro: *Kizomba – Festa da raça*, de Martinho da Vila, com o samba-enredo antológico de Luiz Carlos da Vila, Rodolpho de Souza e Jonas Rodrigues. Hoje, Nei Lopes apenas mantém ligações afetivas com pessoas que permanecem nas escolas de samba, apesar da mudança de rumo, e não vislumbra a possibilidade de voltar a frequentá-las.

POLÍTICA, TERNO E GRAVATA

"Eu de chinelo charlote, meu chapéu copa norte, meu blusão de voal (não tinha ainda de tergal)..." Essa indumentária, descrita no samba *Malandro JB* – sua parceria com Renato Barbosa, gravada por João Nogueira –, seria, sem dúvida, a que mais agradaria a Nei Lopes. "Mas eu estava também muito elegante de paletó vermelho para apresentar o show de lançamento do disco *Perfume de champanhe*, de Almir Guineto, no Canecão, em 1987. Não estava?", comenta rindo.

Ele se diverte com a confirmação de quem presenciou aquele importante momento de explosão artística e comercial de um novo estilo de samba, que ficou conhecido como "pagode de fundo de quintal". E Nei lamenta que, "logo em seguida, veio uma deformação do estilo, enganosamente vendida também como pagode".

De fato, no início dos anos 1990 o mercado fonográfico e a radiodifusão comercial rejeitavam o samba mais tradicional, dificultando a vida de muitos compositores e intérpretes. Martinho da Vila, nessa época, concedeu uma entrevista, ao jornal

Diário Popular, de São Paulo, afirmando que só permaneceriam aqueles que "deixarem de ser 'sambistas' para se tornarem 'artistas', na real acepção da palavra". Para ele, não bastava fazer bom samba e cantar direitinho, era necessário profissionalismo e uma lapidação cuidadosa, da criação ao produto final, fosse um disco ou um show.

Foi nesse momento que, para Nei Lopes, o vestir-se descontraído cedeu lugar ao traje formal, ao aceitar o convite para assumir o cargo de chefe de gabinete do senador Abdias Nascimento. Aquele líder histórico do movimento negro tinha sido nomeado o primeiro titular da recém-criada Secretaria de Defesa e Promoção das Populações Negras do Estado do Rio de Janeiro, no segundo governo de Leonel Brizola.

Em vez de cuidar apenas das questões burocráticas, Nei colocou sua criatividade à disposição da secretaria. Criou a sigla Sedepron e desenhou um logotipo. Outras tentativas de realizações não tiveram sucesso: "Tentei oficializar as comemorações do 20 de novembro. No ano de 1991, a festa, no Monumento a Zumbi, na Praça Onze, teve banda militar, hasteamento de bandeiras, inclusive a do Pan-Africanismo, que eu mandei fazer, discursos etc. Os três mastros ainda estão lá".

A bandeira citada foi paga pelo próprio Nei, pois a Sedepron não tinha verba. "Foi feita por dona Graça, uma costureira de Vila Isabel. Por isso, levei essa bandeira pra casa e botei no assentamento do meu orixá guardião. Fiquei nessa durante mais ou menos um ano, até que, com o Abdias indo assumir cadeira no Senado, caí de função. Cansei, pedi exoneração e, por aquelas coisas engraçadas da burocracia, descobriram até que eu tinha recebido mais 'proventos' do que merecia. Nessa tremenda confusão, a secretaria mudou de nome e de sigla para Secretaria de Defesa e Promoção das Populações Afro-Brasileiras (Seafro) e acabou esvaziada pelo governo Marcelo Alencar, que sucedeu o grande Brizola."

Nei se queixa do excesso de burocracia nas instituições ligadas ao poder público, mas aceitou, logo depois, o convite para ser assessor do escritor e historiador Joel Rufino, na presidência da Fundação Cultural Palmares, do Ministério da Cultura. "O máximo que consegui foi publicar dois livros com ótimo conteúdo, mas muito mal apresentados, um da Néia Daniel e outro do próprio Joel, em coautoria com Wilson Barbosa, chamado *Atrás do muro da noite*. Aí, o samba foi entrando nos eixos de novo, comecei a me estruturar melhor e não precisei mais ser funcionário público."

Filho de pai operário – funcionário público, mas trabalhador braçal –, Nei nasceu num lar getulista. Ao chegar à faculdade, porém, fascinou-se com os pensamentos e as agitações da esquerda. A militância, na arte e na cultura, o aproximou do PCB. Com o golpe militar de 1964, entretanto, o sonho acabou. "Os anos passaram. Aí, com a volta de Brizola, em 1979, vi que ele é que encarnava os ideais que eu defendia, inclusive do ponto de vista da militância negra, que, aliás, eu nunca exercitei da forma convencional, pois a burocracia das reuniões e das discussões é insuportável. Mas continuo firme com o espírito de Brizola."

Ao falar desse ídolo, Nei revela um retorno ao getulismo familiar de sua infância: "Acho que Getulio Vargas tem de ser reabilitado de seu passado quase fascista, porque realmente criou um Brasil novo, hoje desmantelado pelo liberalismo".

Oswaldo Faustino

Os olhos de Nei Lopes brilham intensos quando fala de suas atividades e ideologias políticas. Ele conta que foi com o mesmo espírito guerreiro e revolucionário dos tempos da faculdade, do CPC e do PCB que, na década de 1980, tornou-se dirigente da Amar-Sombrás, sociedade de gestão coletiva de direitos autorais musicais da qual participa ainda hoje. "Aí, o Direito voltou à minha vida. Para sempre!", afirma. Um Direito que para ser defendido não exige que ele abra mão de seu *"chinelo charlote, seu chapéu copa norte, seu blusão de voal..."*

Mas não pense que ele radicaliza na questão da indumentária. Se tiver de mudá-la, o faz em grande estilo, como ocorreu quando vestiu smoking para a apresentação de seu coral sinfônico *Zumbi, Jaga de Matamba*, criado em parceria com o maestro Nelson de Macedo, encenado na sala Cecília Meireles, no tricentenário da imortalidade do herói de Palmares, em 1995. "Mesmo porque", explica ele, "cada traje tem o seu lugar."

PARCERIAS E INFLUÊNCIAS

As atividades políticas não o impediram de atender às inúmeras solicitações de artigos para as mais variadas publicações, como as revistas *Raça Brasil, Caros Amigos, Bundas, Jornal do Commercio*, além dos já escritos para a *Revista Civilização Brasileira* e a página Opinião do jornal *O Globo*. Somem-se a essas os convites para palestras e shows.

Apesar da bela parceria com Wilson Moreira, iniciada em 1975, Nei nunca teve pacto de exclusividade com nenhum parceiro. Além de Wilson, os companheiros mais constantes em seu trabalho autoral são Zé Luiz do Império – que, segundo

Nei, "tem grandes ideias e excelentes melodias" –, o violonista Cláudio Jorge e o músico, compositor e arranjador Ruy Quaresma, da Fina Flor, seu atual agente.

"Mas tem também as parcerias ocasionais, caras famosos da tal MPB. Eles me propunham parcerias, me entregavam duas ou três melodias complicadas, eu punha letra, eles gravavam e depois não falavam mais nada. Esses só serviram pra me dar trabalho, me usaram pra resolver seus problemas. Deles eu não quero saber mais!", encerra o papo como bom filho de Logun Edé.

Na entrevista a Kadu Machado, Nei comentou suas influências musicais: "Engraçado é que, quando resolvi fazer, mesmo, samba à vera, como profissional, tive dois referenciais, bem próximos de mim: a verve do Aluízio Machado e o lirismo do Dauro do Salgueiro, que pouca gente conhece. A vidração no Padeirinho da Mangueira, no salgueirense Geraldo Babão e no Catone da Portela, grandes partideiros, veio depois, com a observação. E teve também o posicionamento político do Candeia".

Seus discos não são muitos, mas cada um deles é conceitual e equivale a um excelente livro de crônicas, com letras ricamente construídas, ora com conteúdos que favorecem a reflexão, ora com humor tipicamente carioca:

- *A arte negra de Wilson Moreira e Nei Lopes* – LP transposto para CD (EMI, 1981)
- *Negro mesmo* – LP (Lira/Continental, 1983)
- *O partido muito alto de Wilson Moreira & Nei Lopes* – LP transposto para CD (EMI, 1985)

- *Canto banto: 300 anos de Zumbi* – CD (Saci, 1996)
- *Sincopando o breque* – CD (CPC-Umes, 1999)
- *De letra & música* – CD (Velas, 2000)
- *Partido ao cubo* – CD (Fina Flor, 2004) – Prêmio Tim 2005 de Melhor Disco de Samba, indicado ao Grammy Latino de 2005
- *Chutando o balde* – CD (Fina Flor, 2009)

O repertório dos LPs *A arte negra de Wilson Moreira e Nei Lopes* e *O partido muito alto de Wilson Moreira & Nei Lopes* foi, no todo ou em parte, lançado em CD. O CD *Celebração* reúne os fonogramas do LP *Negro mesmo* e do CD *Canto banto*. Nei Lopes tem também participações em discos coletivos ou de outros intérpretes, como Ataúlfo Júnior (1979), Alcione (1984), Grupo Fundo de Quintal (1993), Guinga (1999) e Água de Moringa (2000). Em 2008, lançou pelo projeto Toca Brasil, no Itaú Cultural, seu primeiro DVD.

Quem tem o prazer de ouvir *Sincopando o breque*, de 1999, descobre um faceta de Nei Lopes já revelada em composições como *Malandro JB* e *Baile do Elite*: um cronista carioca de primeira linha, divertido, detalhista, que produz imagens quase fotográficas da boemia e do cotidiano da cidade do Rio de Janeiro. Bem ao estilo de Moreira da Silva, com quem teve a oportunidade de conviver por curto período, Nei explora diversos estilos do samba de breque.

Além de histórias divertidas, muitas vezes inusitadas, trazem o ritmo sincopado, a crítica implícita ou até mesmo explícita, as paradas súbitas para um comentário falado e a malemolência na interpretação. Um CD para ouvir sorrindo.

Ele prova, nesse disco, que a "malandragem" carioca na MPB não morreu com Moreira da Silva, o nosso "Kid Morengueira". Ela fez escola tanto no imaginário quanto no mundo da criação. E, hoje, tem no compositor e intérprete Nei Lopes um legítimo porta-voz.

Em 2009, dez anos depois, voltou ao estilo, num novo trabalho, que recebeu o título de *Chutando o balde*. Seria impossível biografá-lo sem a oportunidade de acompanhar pelo menos uma das sessões de gravação, que aconteceram no estúdio Manga Rosa, no Polo de Cinema e Vídeo do Rob Digital, próximo ao autódromo de Jacarepaguá, na Zona Oeste carioca.

E a chance surgiu no mês de janeiro do mesmo ano. Mais que o aparelho de ar refrigerado, os quase 40 graus que envolviam a cidade toda, depois de mais de três semanas de chuva torrencial, eram compensados pelo clima de descontração que envolvia toda a equipe. Do produtor e diretor musical Ruy Quaresma aos músicos, técnicos e, principalmente, o intérprete, que sempre tinham uma piadinha ou um fato hilário para contar.

Produtor, arranjador e também compositor, Ruy Quaresma, durante muitos anos, foi o violonista de Martinho da Vila, além de ter liderado o Fina Flor do Samba, primeiro grupo acompanhante de Beth Carvalho. Hoje é também o *big boss* da Fina Flor Produções, agência e editora que cuida de grande parte dos interesses artísticos atuais de Nei Lopes.

O trio que gravou as bases musicais do CD era formado por Fernando Merlino (pianista), Jorge Gomes (baterista) e Zé Luiz Maia (baixo), todos com larga experiência profissional, inclusive internacional. E com berço, como é o caso de Zé Luiz, filho do saudoso Luizão Maia, um dos maiores baixistas do Brasil de todos os tempos, segundo Nei Lopes.

Em duas sessões, no início de janeiro, com Nei se encarregando da chamada voz-guia, foram gravadas as bases de todo o novo disco, durante as quais também não faltou plateia. Além deste curioso repórter, empenhado na pesquisa para escrever a biografia de Nei Lopes, também estavam presentes outras pessoas, como o ex-publicitário Bira (Ubiratan Lopes de Souza), motorista e secretário de Nei Lopes há cinco anos. "Qualquer coisa, pode perguntar a ele, pois conhece todos os meus segredos", brinca Nei. Havia também duas jovens "importadas" da Dinamarca. Ambas são cantoras e atuam numa banda. Uma delas é filha do músico afro-brasileiro Jorge Degas, radicado naquele país há muitos anos, compadre de Quaresma.

Nei Lopes acredita que o novo disco tem uma tendência ainda mais ácida do que a de *Sincopando o breque,* apesar de ter o mesmo estilo, com muito humor e crônicas tipicamente cariocas, em estilos variados – como o que Ruy chama de "chorinho de breque" –, e alguns momentos com harmonia de piano "bem Tia Amélia"[20].

Uma piadinha aqui, uma gozação ali e o produtor corrige as falhas, mas arranja um jeitinho de elogiar: "Ficou muito bom. Até quando vocês erram fica bom!" De repente, um dos músicos para de tocar e diz: "Desculpa, maestro!" Imediatamente, Quaresma preconiza: "Não tem nada de maestro aqui, não, rapaz. Sou macho!"

---

20. Passagem melódica em que o piano é dedilhado de uma forma que nos reporta a um estilo antigo e bem brasileiro de interpretação.

Atento a cada gesto e necessidade de Nei, Bira o vê, por alguns segundos, todo atrapalhado com a chegada do fotógrafo da revista *Raça Brasil*, registrando imagens da sessão de gravação. Sem parar de cantar, para não atrapalhar o trabalho dos músicos, Nei Lopes segurava o microfone com uma mão e a letra do samba com a outra, necessitando de uma terceira para apanhar na bolsa o boné que compõe sua imagem. E ela surgiu imediatamente. Era Bira, segurando a bolsa e auxiliando a faceta vaidosa de Logun Edé, orixá de cabeça do amigo. Tudo aconteceu em fração de segundos e o "secretário" não deixou a peteca cair.

Depois disso, em outras datas, a sonoridade de outros instrumentos foi recheando e decorando esse saboroso "bolo sonoro". A orquestração do naipe de metais ficou por conta de Quaresma e Humberto Araújo, que tocou flauta, sax soprano e também sax alto e tenor. Contou ainda com a flauta de Andréa Ernest. No trompete, Nelson Oliveira; no trombone, Sergio de Jesus; no cavaquinho, Alceu Maia. O próprio Ruy Quaresma tocou violão, em dueto com o violão de sete cordas de Samara Líbano. A percussão ficou por conta de Ovídio Brito e Marcelinho Moreira.

Tudo gravado, com um coro formado por Tereza Quaresma, Sanny Alves, Alceu Maia e Ruy Quaresma. Playback finalizado, Nei Lopes entra novamente em estúdio e, agora, à frente dessa quase *big band* virtual, interpreta os dezesseis sambas, com muita ginga e bom humor, fazendo-nos abrir o sorriso, dançar e aplaudir.

O samba que dá título ao novo disco é uma composição do próprio Nei Lopes, que revela certo espírito conciliador:

> *Quem não tem água pra beber*
> *Nem cozinhar seu de-comer*

Oswaldo Faustino

Nem pra lavar, não vai viver
Chutando o balde

Quem já sofreu e aprendeu
Leva na manha como eu
E faz um samba igual ao meu
Que o povo aplaude.

E não poderia faltar um partido alto, como *Confraria*, sua parceria com Dauro do Salgueiro, cujos versos descrevem algumas características de seus confrades, como:

Pra quem é da Confraria
De olho no padre e outro na sacristia
Pra quem é da Confraria
Dos que têm certeza que o samba arrepia
Pra quem é da Confraria
Do socialismo com democracia
Pra quem é da Confraria
Que sabe que o samba é a voz da maioria.

Nei Lopes é desses sambistas cariocas que se negam a alimentar a rivalidade Rio *versus* São Paulo. Por isso, o novo CD traz cinco parcerias dele com integrantes do grupo paulistano Quinteto em Branco e Preto (Everson Pessoa, Magnu Sousa, Maurílio de Oliveira, Ivison Casca e Vitor Pessoa).

Quaresma também é parceiro em *Saracuruna-Seropédica*, *Tira-gosto* e *Pombajira Halloween*, um manifesto em defesa da cultura brasileira, diante das manifestações "alienígenas":

NEI LOPES

A cultura nacional
Humilharam, pisaram
Pintaram, bordaram
E olha só qual foi o fim:
Pombajira baixou lá no Halloween!
Marafo long neck
Curimba em playback
Ela veio mesmo assim
Mas quando deram break
Ela viu que era fake
Tudo fashion, tudo teen.

Com *Samba emprestado*, Nei registra seu protesto contra os rumos tomados pelas escolas de samba que, para ele, perderam a legitimidade para representar suas comunidades. Aproveita para chamar a atenção dos compositores de hoje para uma bela e antiga melodia da Portela.

Há ainda um samba intitulado *Oló*, composto apenas por Nei Lopes, e as parcerias com Luiz Fernando (*Meia cabeleira*) e Luís Felipe de Lima (*Águia de Haia*). Nesse disco, Nei "pinta e borda", tal e qual a misteriosa personagem feminina de seu samba em parceria com Claudio Jorge, *Recordando seu Libório*, que encerra em grande estilo:

Sou bom de bico:
me explico e não complico
Comunico, certifico
Ratifico e ainda dou fé

Pergunte a ela quanto custa
e onde é que é...

Pisando macio, pé ante pé, *"como quem pisa em corações"* – diria Chico Buarque –, gingando o corpo e ajeitando o chapéu sobre os olhos, *Chutando o balde* chegou malandramente, com todos os elementos que garantiram o Prêmio Tim de Melhor Disco de Samba ao CD anterior, *Partido ao cubo*, e o credenciaram a concorrer ao Grammy Latino. "A gente está no caminho certo, só falta chegar lá", comenta o cantor e compositor.

6.
Do candomblé à *santería*

"Nasci sob a proteção da Vovó Maria Conga, que minha mãe recebia em invocações domésticas. Também recebiam pretos-velhos e caboclos o Tio Juca, tio de mamãe, e os irmãos dela, tios Jorge e Manuel, meu padrinho. Eu tinha medo e não curtia muito. Mas, nas necessidades, eu pedia à mamãe pra chamar 'a Velha' pra me socorrer." Nei Lopes ri muito ao lembrar-se desse "drama" infantil.

Como a maioria da população, a família conseguia harmonizar o espiritismo de umbanda com o catolicismo, numa espécie de cristianismo à brasileira. Conta-se, por exemplo, que Mãe Menininha do Gantois[21], uma das mais famosas ialorixás da história do candomblé no Brasil, não perdia uma missa aos domingos e diariamente ouvia programa evangélico pelo rádio de seu quarto.

---

21. Conhecida como Mãe Menininha do Gantois, a baiana Maria Escolástica da Conceição Nazaré (1894-1986), filha de Oxum, ficou famosa por sua liderança no candomblé da Bahia e pela quantidade de artistas, intelectuais e políticos que a consultavam.

Aos 10 anos de idade, Nei fez a primeira comunhão católica e assistiu a algumas missas, entre os anos de 1952 e 1953. "Mas não sentia prazer. Na década de 1970, no bojo da conscientização de minha identidade negra, cheguei ao candomblé. E dei minhas primeiras obrigações, em 1977, sendo suspenso ogã, mas não sendo confirmado[22]."

Na ansiedade de saber mais sobre as tramas do candomblé e sobre seu papel nessa religião, aproximou-se do venerando Mestre Didi, um sábio que o orientou bastante, mas que morava na Bahia, o que tornava inviáveis as consultas no nível e na quantidade ansiados por Nei.

Mais tarde, na busca dos conhecimentos, Nei foi bastante auxiliado pelo professor José Flávio de Barros, da Universidade Estadual do Rio de Janeiro (Uerj), importante líder religioso. É quando se confirma seu orixá guardião: Logun Edé, orixá cultuado na região ijexá, na Nigéria, o ponto de encontro entre rios, suas barrancas e florestas. Materializa-se no vapor fino sobre as lagoas e se espalha nos dias quentes pelas matas.

O panteão dos orixás, ao contrário dos "céus" de outras crenças, não tem nada de harmonioso, antisséptico, brando. Ao contrário, é vibrante, explosivo, repleto de toda sorte de sentimentos humanos, os mais profundos. Há traições, inveja e

---

22. Os ogãs, nas religiões de matriz africana, geralmente homens, são os responsáveis, entre as demais funções de apoio às atividades do terreiro, pelos toques dos atabaques, que variam de acordo com a divindade que está se manifestando. Escolhido por um orixá, ele passa por uma cerimônia em que é colocado em uma cadeira e suspenso pelos demais ogãs da casa. Futuramente, passará por uma série de obrigações até ser confirmado ogã.

punições, como ocorre nos demais panteões politeístas, como o greco-romano.

O amado, doce e respeitado Logun Edé é o príncipe dos orixás e de tudo que alimenta os homens: plantas, peixes e outros animais. Tem a astúcia do caçador e a paciência do pescador. Diz a mitologia iorubá-baiana que, extremamente vaidosos e competidores, Oxóssi e Oxum não puderam viver juntos. Por isso, o filho viveria seis meses nas águas dos rios, com a mãe, e os outros seis nas matas, com o pai. Cada qual lhe ensinaria a natureza dos seus domínios, o que o tornou poderoso e rico, além de belo.

Em Ilexá, país dos ijexás, vivia Oxum, que tinha amores com o caçador Erinlê de Edé[23]. Dessa união nasceu Logun Edé ("o mago de Edé") que adquiriu de seu pai a condição mágica e altamente secreta de ser seis meses homem e seis meses mulher. Para evitar que alguém descobrisse o segredo do filho, seus pais estavam sempre mudando de um lugar para o outro, ora na mata, ora no rio. Assim, em alguns locais o belo jovem era conhecido como homem; em outros, como mulher. Até que, depois de muitas peripécias, seu segredo foi descoberto. Como essa androginia, comum nos primeiros tempos, já então representava uma espécie de maldição, Logun Edé teve de dar obrigações e oferendas a Ibêji, orixá símbolo da natureza dupla (sendo por isso representado por um elemento masculino e outro feminino). Feito isso, tudo se assentou.

---

23. Erinlê é uma divindade iorubá masculina caçador, pescador e médico--botânico. No candomblé Ketu, Erinlê é apresentado, muitas vezes, como Oxóssi.

Nei afirma que nunca teve dúvidas sobre a própria sexualidade. Para ele, a interpretação do "segredo" de seu eledá é bem mais profunda: "É um orixá *metá*, vocábulo que em iorubá significa três. Ele é o pai, a mãe e ele mesmo. Não tem nada de sexualidade dúbia. E, além do mais, para quem foi brindado, como eu, com um casal de netos gêmeos, nascidos em 11 do 11 de 99, está tudo certo", vangloria-se.

Acrescente-se que Logun Edé tem aparência doce e calma, mas se enfurece descontroladamente quando contrariado. Porém, é bastante generoso e dotado de extrema compaixão. Gilberto Gil, numa canção, define esse orixá como: *"Mimo de Oxum, Logun Edé – Edé, Edé – É delícia!"*

Nei Lopes o homenageou com o *Afoxé para Logun*, gravado em 1982 por Clara Nunes:

> *Menino caçador*
> *Flecha no mato bravio*
> *Menino pescador*
> *Pedra no fundo do rio*
> *Coroa reluzente*
> *Todo ouro sobre azul*
> *Menino onipotente*
> *Meio Oxóssi, meio Oxum*
> *[...]*
> *Menino, meu amor*
> *Minha mãe, meu pai, meu filho*
> *Toma teu axoxô*
> *Teu onjé de coco e milho*
> *Me dá do teu axé*

Que eu te dou teu mulucum
Menino, doce mel
Meio Oxóssi, meio Oxum

A cada nova informação sobre Logun Edé, Nei Lopes se identificava e se reconhecia ainda mais. Conta que, no início dos anos 1990, com a chegada ao Brasil do babalaô cubano Rafael Zamora, que ajudou a fortalecer o culto de Ifá em nosso país, ele cumpriu algumas obrigações que faltavam.

Aproveitando uma viagem a Havana, Cuba, para participar do "Festival Internacional da Juventude", em 1997, procurou conhecer melhor o "candomblé" local, chamado *santería*. Teve então a oportunidade de aproximar-se de um babalaô mais antigo, Wilfredo Nelson, que também acabou se estabelecendo no Brasil e se tornou seu padrinho em 2000.

A partir daí, a Diáspora Africana passa a ter um sentido ainda mais profundo para Nei Lopes, não meramente histórico e social, mas espiritual e religioso. Sua africanidade agora traz também toda a contribuição da ancestralidade caribenha: "Recebi novos orixás para cultuar e os que eu já tinha foram 'reciclados' para ser cultuados à moda cubana. Hoje, de minha mulher a meus netos, passando pela nora e pelo motorista, todos aqui em casa são 'santeros'. Sonia consagrou-se a Xangô, em Havana, em 2005. E meu filho recebeu os fundamentos da condição de babalaô, aqui no Rio, no ano seguinte".

A relação de Sonia com os orixás era, até então, apenas respeitosa, não iniciática. Ela conta que a mudança não se deu por acaso. "Nei esteve doente, sob suspeita de ter uma doença grave. Então, prometi a Orunmilá que, se não se confirmasse a suspeita e ele sarasse, ia me consagrar ao meu orixá de cabeça, de quem eu seria a filha mais dedicada. Se a doença estivesse para se manifestar, foi abortada no nascedouro. Em setembro de 2005, fiz o jogo para saber quem era meu orixá. É Xangô, e eu tinha de coroá-lo. Dois meses depois, eu estava em Cuba sozinha para fazer minhas obrigações." A família voltou a Havana para comemorar um ano dessa consagração.

7.
Racismo e academismo

Praticamente todo o conjunto da obra de Nei Lopes, tanto a literária quanto a discográfica, de alguma forma, mesmo que seja implícita ou por associação, pode ser pensado como um instrumento de combate ao racismo. Entre os excluídos, o reconhecimento dos valores individuais geralmente beneficia o todo, assim como historicamente se justificou a opressão de todos em função de atitudes de alguns.

Para Nei Lopes, o fato de o "racismo à brasileira" raramente se mostrar é o que o torna ainda mais difícil de combater. Ele concorda com um artigo do jornalista Elio Gaspari, publicado em *O Globo* e na *Folha de S.Paulo*, afirmando que, enquanto o negro estiver "no seu lugar", na sua subalternidade, tudo estará em ordem. Exemplifica o fato com a tradicional fala do patrão branco a respeito da doméstica negra: "Lá em casa não tem esse negócio de racismo, nossa empregada come até na mesa com a gente". Mas quando houver alguma competição o racismo mostrará sua cara.

Por essas e outras, Nei se declara favorável às cotas raciais nas universidades brasileiras: "Acho que se tem de fazer alguma coisa. É um assunto que não tem mais como esperar. Tem gente que fala que a solução é investir no ensino básico. Mas isso vai ter resultado daqui a quantas gerações? Então, tem de tentar alguma coisa agora. E a gente sabe que as políticas de ação afirmativa não são permanentes, são coisas para resolver emergencialmente uma situação".

Um aspecto na questão das cotas que geralmente não é discutido é destacado por Nei: "É a questão de preparar a escola brasileira para receber o negro. As universidades não têm estrutura para compreender a questão negra em sua essência. Compreender, por exemplo, o que é uma autoestima dilacerada e vilipendiada durante tanto tempo. É preciso que as pessoas entendam o que é a cabeça de um negro. Há uma expressão que define bem o nosso psiquismo: 'síndrome da senzala'. Até hoje tenho certa preocupação de entrar em certos ambientes, sobre como vou ser recebido e como vão me ver".

Desde rapazinho, Nei Lopes ouvia os militantes negros mais velhos afirmar: "Quando a gente começar a incomodar, a ocupar os espaços, aí é que o couro vai comer no nosso lombo!" Segundo ele, o que está acontecendo com relação às cotas universitárias é a confirmação desse pensamento: "O couro já está comendo nas redações dos jornalões, nas cátedras universitárias, no Supremo. Mostro isso no meu livro *O racismo explicado aos meus filhos*. Mesmo sabendo que as medidas propostas nas políticas de ação afirmativa são temporárias, a hegemonia caucásica e nórdica se sente ameaçada. É uma doença isso! É um medo, um pavor, que tem raízes na escravidão".

Para Nei Lopes, a grande dificuldade de combater o racismo se dá pelo fato de esse fenômeno estar sempre oculto, aflorando apenas nos momentos de paroxismos: "É uma coisa insidiosa. Se você tem um confronto aberto, mesmo que seja no plano das ideias, aí tem como combater. Mas até hoje tem gente que bate o pé e diz que racismo não existe no Brasil, que é coisa dos Estados Unidos e da África do Sul. Mas a gente sabe que não é assim", afirma Nei.

Por isso, não poupa munição nessa guerra sem fronteiras nem trincheiras. E fôlego é o que não lhe falta. Já tem outras ideias tomando forma, como um romance sobre o universo do líder sambista Paulo da Portela e um dicionário dos subúrbios e da antiga zona rural cariocas, além de outro dicionário sobre cultos africanos. Nei Lopes sabe que a palavra é simultaneamente tanto a melhor ferramenta quanto a melhor arma. Não há racismo, preconceito ou discriminação que resista aos incessantes ataques de um malungo[24] como ele.

O INCÔMODO AUTODIDATISMO

A incursão de Nei Lopes nos estudos que resultaram na criação de dicionários e da *Enciclopédia* provocou ciumeira em gente que se acredita dona desse campo de estudo. "Meu autodidatismo me tem custado a pecha de 'enxerido' e despreparado'.

---

24. A palavra "malungo", forma como os escravizados africanos chamavam aqueles que vieram no mesmo navio que eles, significa companheiro, parceiro, camarada. Associada também a companheiros de batalhas, pode significar guerreiro. Aqui foi utilizada com esse significado.

Mas eu sigo em frente", comenta, confiante na importância do trabalho que desenvolve.

Foi exatamente o que ocorreu, em 1988, quando a prefeitura do Rio de Janeiro publicou o *Dicionário banto do Brasil*, de Nei Lopes. Como diz o escritor e editor Roberto Shinyashiki, a primeira motivação para que alguém se torne escritor é encontrar algo que o incomode. O "incômodo" de Nei era o não reconhecimento da imensa contribuição africana para a cultura brasileira. Num primeiro momento, chamou-lhe a atenção a quantidade de vocábulos usados no dia a dia que são originários das regiões de Angola, Congo e Moçambique. "São palavras como tamanco, carimbo, marimbondo, camundongo, bunda, tanga, sunga, mochila. Por isso, pesquisei durante alguns anos e produzi um dicionário etimológico."

Sem revelar o nome, conta que uma "grande autoridade nessa área" ficou muito incomodada com a publicação. "Chegou até a publicar um artigo, afirmando que havia gente sem qualificação e amadora se metendo a fazer dicionário e que os estudos africanos no Brasil estavam virando uma bagunça. Também disse que a etimologia é uma área que dá margem a muita fantasia. Fiquei muito chateado, mas botei minha viola no saco, porque quem estava falando era uma autoridade."

Autoridade por autoridade, Nei não deixou por menos. Como tinha ligação com o filólogo Antônio Houaiss, que prefaciara o livro *Casos crioulos*, quando o *Dicionário banto* saiu deu-lhe um exemplar e ficou um pouco preocupado, pois Houaiss não se manifestou. "Mas, quando a lenha caiu em cima de mim, ele me mandou um bilhete, com o timbre da Academia Brasileira de Letras, em que dizia, com a letra tortuosa, difícil

Oswaldo Faustino

de ler: 'Meu amigo Nei, você se incomodaria de me conseguir mais um exemplar do seu dicionário?' Se eu tivesse em casa um cofre, esse bilhete estaria trancado ali. Um tempo depois, ele faleceu."

Fora o bilhete, cujo pedido foi atendido, Nei Lopes não tinha nenhuma comprovação de que seu trabalho tivesse sido de algum proveito para aquele mestre enciclopedista. Uma amiga de Nei, porém, estava trabalhando na equipe que produziu o *Dicionário Houaiss* e lhe fez uma revelação feliz: "Seu dicionário ficava na mesa do chefe!" A boa notícia só serviu para aumentar-lhe a expectativa.

Quando o novo *Dicionário Houaiss* foi lançado, ele correu para comprá-lo em uma livraria de um shopping de Vila Isabel. "Sentei-me nervoso em um banquinho para olhar se, na bibliografia, constava meu livro. Não encontrei, foi uma ducha de água fria. Levei-o para casa e, quando fui ler mais calmamente, vi que a bibliografia técnica ficava na frente e lá estava o meu dicionário. Aí comecei a folhear procurando palavras desse universo e constava o crédito: 'Segundo Nei Lopes...', no mínimo, umas 350 vezes. Lavou minha alma."

No popular, "nada como um dia após o outro". Em um seminário acadêmico promovido por uma universidade carioca, Nei observou esse fato, e seu comentário chegou aos ouvidos da pessoa que o havia criticado. Algum tempo depois, aconteceu outro encontro, dessa vez em São Paulo. Seu crítico, então, falando para um plenário lotado, não teve o menor melindre em elogiar: "Grande trabalho do professor Nei Lopes".

O irônico Nei Lopes não poderia deixar esse fato passar incólume: "Até me chamou de professor, trouxe-me para o universo dele. Foi preciso que houvesse esse reconhecimento por parte do Houaiss". Na reedição do *Dicionário banto do Brasil*, além da revisão e das mudanças necessárias, colocaram na capa: "Contendo cerca de 350 hipóteses acolhidas pelo *Dicionário Houaiss*". Onde quer que o enciclopedista esteja, certamente, deve ter ficado feliz por se tornar o novo padrinho de Nei Lopes. Mereceria inclusive uma homenagem, em forma de samba de breque, uma especialidade do grande talento revelado pelo compositor.

CRIAÇÕES EM TRÊS VERTENTES

Para compreender a obra de Nei Lopes e saboreá-la em toda a sua intensidade, é preciso entender que ela segue em três vertentes distintas, que se encontram e se complementam:

- A *carioca*, que é natural e fruto de sua capacidade de absorver, digerir e recriar, com o bom humor e a ginga dos antigos malandros, tudo que acontece em seu dia a dia no Rio de Janeiro.
- A da *identidade negra*, resultante de uma busca incansável de conhecer, compreender e divulgar tudo que se refere a essa parte fundamental de sua origem.
- A da *memória*, que ele define como "emoção pura".

No universo cristão de linhagem católica, conta-se que, na ânsia de compreender a Santíssima Trindade – três pessoas em uma –, o angustiado Santo Agostinho sonhou com um menino que pretendia colocar o mar em um buraco na areia. Indagado, respondeu ser mais fácil realizar esse objetivo que compreender esse "mistério da fé". A tríade de Nei Lopes, porém – três vertentes num só processo criativo –, é de fácil compreensão, pois resulta em produções distintas, quer musicais, quer literárias, com características muito próprias.

A vertente carioca é responsável pelos sambas-crônicas, muito bem-humorados, com um tom irônico e muitas vezes picante, como *E eu não fui convidado*, que fez em parceria com Zé Luiz, interpretado pelo grupo Fundo de Quintal, entre outros:

> *Eu não sou culpado meu bem*
> *Se o seu novo amor tem pavor do passado*
> *Comprei camisa de seda, terno de linho importado*
> *Dei molho no (meu) cabelo, fiz um pisante invocado*
> *Mas você se casou e eu não fui convidado.*

Entre as várias citações desse suposto relacionamento com a pessoa que, agora, estaria se casando com outro, o personagem do samba aproveita para relembrar à ex-amada um fato determinante:

> *Vou lhe dizer outra coisa*
> *Sem ter medo de resposta*
> *Quem teme águas passadas*
> *Não nada em rio de costas*
> *Diga pro seu novo amor*
> *Que eu não fui e não gostei*
> *Ninguém vai cortar a fita*
> *Da obra bonita que eu inaugurei.*

Esse tipo de verso (de um machismo que nosso poeta apenas retrata, mas não endossa) lembra a típica "malandragem" carioca, que volta e meia ressurge em muitos sambas conhecidos. Em Nei, essa vertente "malandreada" abrange seus sincopados e sambas de breque, estilo que consagrou compositores e intérpretes como Moreira da Silva e Germano Matias. Nascido nos anos 1950, o samba de breque se caracteriza pelas paradas súbitas, em que o cantor faz um comentário, falado ou mesmo cantado, sempre com muito bom humor.

Um bom exemplo é o samba *A neta de Madame Roquefort* – do CD *Sincopando o breque* –, composto em parceria com Rogério Rossini, que critica a mania de utilização excessiva de estrangeirismos. No passado era o galicismo, em que era "chique" usar palavras francesas. Atualmente, o anglicismo, que vulgarizou a utilização de vocábulos em inglês. Nei revela que esse samba é uma brincadeira com sua mulher, Sonia, que é formada em Letras e dava aulas de francês quando o conheceu:

> *Madame Roquefort*
> *Traz cada vez melhor*
> *o seu charme burguês*
> *E já tem quase oitenta e três*
> *Da Rua do Chichorro*
> *foi morar no morro,*
> *mas fala francês*
>
> *Sua garçonière tem bufê,*
> *étagère e um lindo sumier*
> *Só tem filé-mignon,*

> *maionese, champignon,*
> *champanhe e vinho rosé*
> *(do bom Chateau Duvalier*
> *que é o que tem melhor buquê)*
> *[...]*
> *E a neta de Madame,*
> *por mais que eu reclame,*
> *Por sua vez,*
> *também não fala português*
> *Seguindo tradição,*
> *sua comunicação*
> *é no idioma inglês:*
> *(é tudo rap, bodyboard,*
> *CD-ROM e CD-player)*
> *Este país não é mesmo sério,*
> *já dizia um bom gaulês!*

A vertente que marca a identidade negra, porém, é encontrada tanto em letras de músicas que tratam de temas ligados ao panteão dos orixás quanto nas que trazem outros conteúdos africanos e afro-brasileiros, resultantes das pesquisas do autor. Como quando compôs com Wilson Moreira *Candongueiro*, que a mineira Clara Nunes interpretou divinamente. Ritmo, melodia e letra traduzem um ambiente em que o jongo, manifestação afro-brasileira, impera:

> *Eu vou'me embora,*
> *pra Minas Gerais agora.*
> *Eu vou pela estrada afora,*

tocando meu candongueiro, oi.
Eu sou de Angola,
bisneto de quilombola
Não tive e não tenho escola,
mas tenho meu candongueiro.

No cativeiro,
quando estava capiongo,
meu avô cantava jongo,
pra poder se segurar, oi.
A escravaria
quando ouvia o candongueiro,
Vinha logo pro terreiro,
para saracotear.

Há inúmeros momentos nas composições de Nei em que a vertente carioca se encontra com a afro – que prevalece em suas criações literárias –, e ele aproveita para incutir nessas crônicas termos e conceitos muito particulares de sua negritude, como em *Oló*, que faz parte do CD *Chutando o balde*, e em sua parceria com Wilson Moreira, *Pega no pilão*.

Quando se fala na vertente da memória, Nei é implacável, intransigente. Suas reflexões emocionais geralmente nos fazem pensar em nossa própria qualidade de vida. Nesse caso, podemos destacar duas composições feitas em parceria com Wilson Moreira: *Coisa da antiga* e *Goiabada cascão*:

Hoje o olhar de mamãe marejou, só marejou
Quando se lembrou do velho, o meu bisavô

Oswaldo Faustino

Disse que ele foi escravo,
mas não se entregou à escravidão
Sempre vivia fugindo e arrumando confusão

Disse pra mim que essa história
do meu bisavô, negro fujão
Devia servir de exemplo a "esses nego pai João"
Disse afinal que o que é de verdade
Ninguém mais hoje liga
Isso é coisa da antiga.
....
Goiabada cascão em caixa
É coisa fina, sinhá, que ninguém mais acha!

Rango de fogão de lenha
na festa da Penha
comido com a mão
Já não tem na praça, mas como era bom!

Hoje só tem misto quente,
só tem milk-shake, só tapeação.
Já não tem mais caixa
de goiabada cascão.

Essas três vertentes também podem ser encontradas em suas obras literárias. Mas, ainda falando em seus sambas, cantá-los é geralmente uma satisfação. Porém, se os estudarmos, encontraremos farto material para entender melhor tanto a história e a cultura afro-brasileira quanto a maneira de ser, pensar e sentir do brasileiro em geral e do carioca em particular. Sentimentos que podem acometer toda a humanidade, mas, em nosso povo, parecem potencializar-se ainda mais.

Para conhecermos melhor Nei Lopes nada como analisar (e, se for possível, também ouvir) alguns de seus sambas – que, somados, podem nos fornecer um retrato perfeito de seu autor. O próprio Nei indica os versos que comporiam seu "retrato-cantado":

- "Tenho impressa no meu rosto / e no peito, lado oposto ao direito, uma saudade" (*Samba do Irajá*)
- "Meu avô nasceu onde o sol morre, / e se afoga em fogo, em pleno mar / onde o vento Harmattan, que vem do norte, / cospe rubras fagulhas pelo ar..." (*Maracatu do meu avô*)
- "Menino caçador, / flecha no mato bravio / menino pescador, / pedra no fundo do rio..." (*Afoxé pra Logun*)
- "O grande mistério deste enredo / é coisa bem simples de entender: / entre a Terra e o Céu, não há segredo / basta não ter medo pra compreender" (*Peito sangrando*)
- "Agora que uma dura realidade transformou só em saudade o bem maior que eu pude ter / agora, afinal, posso compreender que eu amei foi o teu nome e não você" (*Samba de um nome*)
- "No tempo que Dondon jogava no Andaraí, nossa vida era mais simples de viver: não tinha tanto miserê nem tinha tanto tititi... no tempo que Dondon jogava no Andaraí" (*Tempo de Dondon*)
- "Oh, Deus, já que meu erro não merece o teu perdão, venho propor humildemente uma solução: rasga meu peito em

dois pedaços, ou desenlaça esses dois laços e une os dois num laço apenas / pois assim Tu me condenas à morte por amor, que é mais amena" (*Laços e pedaços*)

- "Ainda é madrugada, deixa clarear! Deixa o dia lá fora cantar a canção dos pardais! É cedo, meu amor! Fica um pouquinho mais!" (*Deixa clarear*)
- "Dos restos mortais do domingo, ela faz na segunda uma roupa-velha / e incrementa toda terça-feira uma tripa lombeira que é uma coisa séria" (*O tempero de Dona Iaiá*)
- "Aproveita hoje, porque a vida é uma só / o amanhã, quem sabe se é melhor ou se é pior. / Deixa correr frouxo, que esquentar não é legal. / Se o Braz é tesoureiro, a gente acerta no final! / Pois Deus é brasileiro e a vida / é um grande carnaval" (*Firme e forte*)

8.
"Moro na roça, iaiá..."[25]

O mestre Monarco, da velha guarda da Portela, compôs em 1947, em parceria com Alcides Dias Lopes, um samba que diz: *"Eu vivia isolado do mundo / Quando eu era vagabundo / Sem ter um amor / Hoje em dia, eu me regenerei / Sou um chefe de família / Da mulher que eu amei"*. Na vida de Nei Lopes, porém, a necessidade de um isolamento se deu exatamente no momento em que se sentiu muito amado e produtivo.

Sambista e intelectual, boêmio e religioso, homem de letras e do pincel, compositor premiado e dirigente de entidade de direitos autorais. Hoje, o trabalho de Nei Lopes não exige que ele viva num grande centro urbano, barulhento, violento.

Por isso, resolveu viver com Sonia na "roça". Mudaram-se para um sítio em Seropédica, que fica na antiga Rodovia Rio-São Paulo, município limítrofe com Santa Cruz, o último bair-

---

25. Partido-alto da antiga adaptado pelos partideiros Xangô da Mangueira (Olivério Ferreira,1923- 2009) e Jorge Zagaia (Jorge Isidoro Silva, 1922-1995).

ro da Zona Oeste do Rio. Ali ele encontra a paz e a tranquilidade necessárias para suas criações, seus estudos, seus projetos e novas ideias. Só deixa o sítio para trabalhar e exercer suas funções na Amar, sua entidade de direitos autorais, gravar, fazer apresentações e dar palestras.

Além da ansiada paz de espírito, há outra razão para a opção pela vida campestre. Nei a explica:

Tenho meus orixás desde 1977. Eu necessitava de um espaço de natureza. Aí, me proporcionei isso. Dez anos depois, em 1987, Sonia me disse que tinha um colega de trabalho que queria vender um pequeno sítio em Seropédica. Fomos conhecer e, assim que cheguei, disse: "É meu!" Muito verde, tudo muito natural. Não mexo em nada. Comprei mais um pedaço de terra e, hoje, temos uns 4 mil metros quadrados. Os orixás estão muito bem cuidados lá.

A gente morava em Vila Isabel e ia ao sítio de vez em quando. Às vezes fazia uma festa. Até que, em 2000, resolvemos nos mudar para lá. Vendemos o apartamento e, com o dinheiro, melhoramos a "caxanga", pusemos piscina e tudo mais. A vizinhança é muito pobre e isso me incomoda um pouco: ter tanto conforto em meio a pessoas que vivem com tantas dificuldades. Quando chegamos a Seropédica não tinha telefone; internet, nem pensar. Aí criaram internet via rádio. Um pouquinho mais cara, mas eficiente.

Não sei dirigir automóvel. Nunca soube dirigir, nem bicicleta. Pode parecer demagogia, mas em casa, no Irajá, éramos tão pobres que ninguém imaginava que um dia pudéssemos ter automóvel. Quando era advogado, eu andava de táxi. Minha primeira mulher dirigia e tinha carro, Sonia também tinha carro e dirigia. Eu tive essas facilidades. Hoje temos conosco o dedicado Bira.

Essa opção de viver na roça, porém, se contrapõe a uma das imposições de seu ofício, que é viajar. Depois de participar do "Festival Internacional da Juventude", em 1997, em Cuba, já se apresentou naquele país mais uma vez, no Cubadisco, em maio de 2001.

Quanto mais viaja, mais sente o desejo e a aptidão de cantar a própria aldeia e se faz um bocado intransigente na defesa do que chama de DNA da música brasileira. Desse DNA, segundo ele, não faz parte o rap: "O Brasil já tinha seu repente, que é o coco de embolada, uma coisa muito mais elaborada. Então, por que rapazes de grandes cidades, como Rio e São Paulo, não cultivam esse ritmo brasileiro? O coco de embolada é algo muito mais sofisticado do que o rap. Pega aí um Caju e Castanha[26], por exemplo, bota ao lado de um *rapper* e vai ver o que acontece"[27].

Àqueles que afirmam que "o samba é alienado, não protesta", para justificar sua preferência pelo hip-hop, Nei Lopes afirma que esse seria um "protesto mentiroso, o protesto da moda". Ele ressalta que o samba também tem um lado muito crítico, utilizando-se da ironia:

---

26. Dupla de cantadores nordestinos especializada em improvisos do gênero coco de embolada.
27. Entrevista à *Revista E*, n. 122, jul. 2007.

Acho que surte muito mais efeito se você chegar no palco e mandar um samba sacaneando o sistema, com graça, do que se chegar com a cara emburrada, em geral com o microfone colado na boca, e ficar só na "atitude". Quando um compositor como Barbeirinho do Jacarezinho, fornecedor habitual do Zeca Pagodinho, manda: *"Você sabe o que é caviar? Nunca vi nem comi, eu só ouço falar".* Pô, isso é uma cacetada. Ou o samba da parabólica, que fala de uns caras que têm uma antena dessas no barraco e explicam como a conseguiram: *"Mas a parabólica foi trazida por um temporal, eu achei no mato e botei no barraco na cara-de-pau".* Tem muito disso, mas as gravadoras quase não gravam esse tipo de produção.[28]

Quem quiser irritá-lo por criticar com veemência o funk e o hip-hop feitos no Brasil basta chamá-lo de "xiita do samba". Nei reage imediatamente: "Eu nunca fui xiita de nada. Embora músico 'de ouvido', sempre tive gosto apurado e aberto pra tudo o que é bom. Do ecletismo da gafieira à pré-bossa nova. Sou sambista porque gosto. E posso dizer que sou poeta também. Então, já me dei ao luxo de letrar aquelas complicações do Guinga, as onomatopeias do João Bosco; já fiz música com Fátima Guedes, Zé Renato, Ed Motta, Moacir Santos e o escambau a quatro"[29].

Quando o assunto é mercado fonográfico, aí Nei radicaliza:

---

28. Idem.
29. Idem.

Eu acho que tem muita armação aí nessa parada. É tudo alguém querendo vender alguma coisa. O que ganha visibilidade, como movimento, é só aquilo que tem "potencial de mercado" ou que é "tendência". E a gente não pode esquecer que o país permanece colonizado e que os grandes conglomerados multinacionais não dormem, principalmente na indústria do entretenimento. Eu até bolei uma paráfrase para aquele velho dito policial "Bandido bom é bandido morto." Menos trágico, o meu ficou: "Preto bom, só preto pop!" Concorda?

Popular sim, pop jamais, diria Nei, ao apresentar seus sambas que são as crônicas de cotidiano: "Como a gente vive um momento de extrema colonização – globalização em mão única acaba redundando na colonização –, sabe-se que hoje a música no planeta inteiro tem o mesmo playback, só é cantada em línguas diferentes, mas o playback é o mesmo. Se você zapear a TV a cabo, vai ver que o cara que canta hip-hop em Portugal soa igual ao que canta na Indonésia"[30].

Agraciado, em 1998, com a Medalha Pedro Ernesto, conferida pela Câmara Municipal do Rio de Janeiro, recebeu em 2005 o título de "Cidadão Olodum", concedido pela tradicional entidade cultural afro-baiana. No mesmo ano, o governo brasileiro o agraciou com a Ordem do Mérito Cultural, no grau de comendador. "Nesse dia, lembrei-me de quando entrei para a Escola Mauá, aos 11 anos incompletos, com meu velho emocionado ao me ver hastear a bandeira do Brasil."

---

30. Idem.

Apontado como um dos "100 brasileiros geniais" pela revista d'*O Globo*, em 2006, no ano seguinte Nei Lopes foi focalizado como um dos "Retratos Capitais" da revista *Carta Capital*, foto legendada com o seguinte texto: "Em música e nas letras, a voz do samba e da consciência negra".

Entre as homenagens já recebidas, Nei contabiliza as das Câmaras Municipais de Niterói/RJ, Seropédica/RJ e de Belo Horizonte/MG, além do Troféu Ori, conferido pelo Centro Cultural José Bonifácio, da Prefeitura da Cidade do Rio de Janeiro, e da Medalha Tiradentes, outorgada pela Assembleia Legislativa do Estado do Rio de Janeiro, proposta pelo deputado Gilberto Palmares, também afrodescendente. Foi uma homenagem ao seu posicionamento firme naquele momento de grande ebulição das discussões raciais. O prêmio, segundo ele soube, também foi um desagravo à truculência de um poderoso jornalista, com quem Nei Lopes debateu sobre questões relacionadas ao racismo no Brasil, entre os anos de 2006 e 2007.

Quanto à Medalha Pedro Ernesto, Nei fincou pé: "Só recebo se a medalha me for entregue no Renascença Clube". Com muito empenho, o vereador Paulo Cerri, que propôs a homenagem, tomou as providências para que a cerimônia fizesse parte de uma grande festa naquela entidade da comunidade negra, fundada em 1951. A decoração da mesa cerimonial tinha representações das escolas de samba Acadêmicos do Salgueiro e Unidos de Vila Isabel.

Em março de 2009, durante a cerimônia de recondução do reitor Ricardo da Motta Miranda, no auditório da Universidade Federal Rural do Rio de Janeiro, em Seropédica, Nei recebeu tocante homenagem da reitoria, como destacada personalidade de Seropédica, município sede da "Rural".

E como já ocorreu em universidades do Rio de Janeiro, do Maranhão e de Pernambuco, entre outras, são sempre muito aguardadas suas participações em eventos, como conferencista, palestrante e integrante de mesas-redondas, discorrendo sobre aspectos das culturas africanas, seja no continente de origem, seja na diáspora. Entretanto, é com muito bom humor, a principal marca de sua personalidade, que o sambista Nei Lopes se manifesta bem pouco preocupado com aqueles que questionam seu autodidatismo e a necessidade de um aval da academia e da universidade para a importância da sua obra: "Academia pra mim, hoje, nem mais a do Salgueiro. E universidade só a do chope", comenta.

Na verdade, esta é apenas uma tirada divertida de alguém bastante seguro sobre o real reconhecimento do conjunto de sua obra. Sua relação com o mundo acadêmico não poderia ser mais harmoniosa. À época da conclusão deste livro, por exemplo, participava de uma mesa-redonda na Academia Brasileira de Letras, falando sobre Teixeira e Sousa, escritor afrodescendente, pioneiro do romance brasileiro no século XIX.

Observe-se que Nei, inclusive, foi tema da dissertação de mestrado do antropólogo Cosme Elias, que resultou num livro tão rico quanto delicioso de ler intitulado *O samba de Irajá e de outros subúrbios – Um estudo da obra de Nei Lopes*.

Com a mesma simplicidade com que recebe todos aqueles que o procuram, Nei confessa sentir muito orgulho por tudo que faz. Também por ver, a cada dia, mais jovens acadêmicos, principalmente das áreas de Pedagogia e de Educação, utilizando suas obras em estudos acadêmicos e para cumprir a Lei de n. 10.639/2003 – que determina a inclusão curricular de cultura afro-brasileira e história da África. "Me procuram até para orientar pesquisas de pós-graduação, o que eu, um mero bacharel, estou impossibilitado de fazer."

Conclusão – "... a única coisa que eu posso te dar"

Se depender de Nei Lopes, as bibliotecas e discotecas estarão cada vez mais repletas de fontes de pesquisa e entretenimento, para saciar a sede de conhecimento, elevar a autoestima e alimentar o orgulho dos afrodescendentes e satisfazer a cada um que pretenda mergulhar na alma do povo brasileiro.

Talvez a melhor maneira para terminar a biografia de Nei seja com versos extraídos do *Samba do Irajá*, escritos ainda na década de 1960, em memória do pai do compositor e gravado pela primeira vez em 1976 pelo saudoso Roberto Ribeiro:

> *Tenho impressa no meu rosto*
> *E no peito, lado oposto ao direito, uma saudade*
> *Sensação de, na verdade, não ter sido nem metade*
> *Daquilo que você sonhou*
> *São caminhos, são esquemas*
> *Descaminhos e problemas:*
> *É o rochedo contra o mar*

É isso aí! Ê, Irajá!
Meu samba é a única coisa que eu posso te dar.

Hoje todos sabemos que o samba não é a única coisa que Nei Lopes pode nos dar. Porém, os sambas que ele nos deu, dá e ainda dará são pérolas de valor inestimável, tal e qual todo conjunto da obra desse que está entre os melhores e mais importantes autores e pensadores negros nascidos neste lado do Atlântico.

Questionado a respeito do que pensa da morte, Nei Lopes afirma:

> É claro que a eternidade assusta, pelo desconhecido. Mas, como não tem jeito, resta pensar nela como algo em que você se reconforta. Principalmente se fez um bom trabalho. E aqueles que te admiram dizem: "'Valeu!" É assim que quero ser lembrado: como um cara que fez. E fez, mesmo! Sem ter papai nem amigo rico, sem bajular, sem receber patrocínio, sem ser "simpático". Com a cara, com a coragem. E com o talento, claro!

A perda de parentes e amigos lhe causa comoção, mas Nei Lopes é todo vida, todo verão, todo carioca, cerveja, ginga e malandragem, principalmente sobre o palco e nos bate-papos descontraídos. Mas, se tivesse de escrever o próprio epitáfio, não pensaria duas vezes: "Aqui *jazz* Nei Lopes, poeta negro, artista do povo". *Jazz* com dois zês mesmo.

Ele diz que é apenas uma brincadeira, uma ironia. Mas é sua cara: o *jazz* da diáspora afro-americana, abrasileirado nas gafieiras, de onde Nei tirou seus charmosos passos de dança; o poeta negro de versos que se fizeram sambas eternos; e o artista que devolve ao povo, que o inspira, tudo que de melhor é capaz de produzir. Um epitáfio que, se depender de nosso desejo, será escrito daqui a muitos anos, mas cabe como uma luva naquele que o pensou. Uma autodefinição fotográfica que peço licença para utilizar no encerramento desta biografia: Nei Lopes, poeta negro, artista do povo.

Bibliografia

A maioria das informações que constam neste livro foi obtida por meio de entrevistas concedidas ao autor, durante dois encontros realizados – em janeiro de 2009, no Rio de Janeiro, e em fevereiro do mesmo ano, em São Paulo –, além de contatos cotidianos, pela internet, de meados de 2008 até a data de conclusão da obra.

Foram também consultadas as seguintes obras/fontes:

Diário Oficial da União – 31 de maio de 1942.

Elias, Cosme. *O samba de Irajá e de outros subúrbios – Um estudo da obra de Nei Lopes*. Rio de Janeiro: Pallas, 2006.

Entrevista ao jornalista Kadu Machado, publicada da internet em novembro de 2007 e não mais disponível.

Entrevista à *Revista E*, n. 122, jul. 2007 (revista eletrônica do Sesc – www.sescsp.org.br).

Meu Lote (www.neilopes.blogger.com.br), o blog do biografado.

Vargas, Getulio. *Diário (1930-1942)*. São Paulo: Siciliano; Rio de Janeiro: Fundação Getulio Vargas, 1995.

IMPRESSO NA

sumago gráfica editorial ltda
rua itauna, 789 vila maria
02111-031 são paulo sp
telefax 11 **2955 5636**
sumago@terra.com.br